Alfred Métraux

Les Incas

COMPLÉMENT D'ABDÓN YARANGA VALDERRAMA

Éditions du Seuil

La première édition de cet ouvrage a paru
dans la collection « Le temps qui court » en 1961.

Page I de couverture :
Quero, vase de bois inca.
Musée de Cuzco - Photo Vautier-Decool.

ISBN 2-02-006473-1
(ISBN 2-02-000173-X 1re publication)

Le mirage inca

Le 16 novembre 1532, à la tombée du jour, l'Inca Atahuallpa était arraché de sa litière au milieu de ses gardes et capturé par Francisco Pizarro. Son armée, taillée en pièces par une poignée de cavaliers, se perdait dans la nuit. En trois heures à peine, la puissance du plus grand État de l'Amérique pré-colombienne était définitivement brisée. La chute de l'empire des Incas précéda la mort d'une civilisation dont même les rudes aventuriers qui la détruisirent avaient perçu la grandeur.

Le guet-apens qui ouvrit aux Espagnols la porte des richesses du Pérou marquait la fin d'une longue quête. Dès le début du XVIe siècle, les Espagnols, de plus en plus nombreux à débarquer sur les côtes de la Castille d'or, connaissaient la « grande nouvelle » et étaient sur la piste d'une « terre riche », quelque part vers le sud, au-delà des montagnes et des forêts. Selon la tradition, ce serait Balboa qui, avant de découvrir le Pacifique et d'en prendre possession au nom du roi d'Espagne, aurait le premier entendu parler de ce mystérieux pays. Se trouvant chez Comagre, un cacique du Darien, près du golfe d'Uraba, il pesait de l'or lorsqu'une querelle éclata entre ses compagnons. Ce que voyant, le fils du cacique aurait renversé la balance et, éparpillant sa précieuse charge sur le sol, se serait écrié : « Pourquoi, chrétiens, vous disputez-vous pour si peu de chose ? Si telle est votre soif d'or que vous troublez la paix de peuples pacifiques et que vous vous exilez de vos terres pour en trouver, je vous montrerai des provinces où vos désirs seront satisfaits. »

Aux questions qui lui furent posées, le jeune homme répondit que, pour conquérir cette terre, il leur faudrait être en nombre et atteindre une autre mer, le Pacifique, et que « l'ayant traversée, ils trouveraient les richesses en or que les gens possédaient et la vaisselle d'or dans laquelle on buvait et mangeait ».

Quand Vasco Nuñez Balboa fut parvenu sur les bords du Pacifique (1513), les dires du cacique du Darien furent confirmés par un chef de la région appelé Tumaco. Celui-ci, après avoir décrit les merveilles des « maîtres de l'or », ajouta qu'ils utilisaient comme bêtes de somme des animaux dont il fit une représentation en terre, suffisamment fidèle pour que les Espagnols y reconnussent des « moutons » avec lesquels les lamas et les alpacas du Pérou présentent en effet une certaine ressemblance.

En 1515, il n'était question à Panama que de cette terre inconnue qu'on appelait déjà « Pérou », du nom d'une rivière de la Colombie du Sud et d'un chef indien avec lequel des navigateurs avaient pris langue. Lorsque Pizarro et ses compagnons eurent découvert l'empire des Incas, l'habitude étant prise, on lui attribua le nom de cet obscur cours d'eau et on négligea celui de *Tahuantin-suyu*, « les quatre quartiers », par lequel ses habitants le désignaient.

Tel était le rayonnement du grand Empire andin que son existence n'était pas seulement connue à Panama, mais encore dans tout le continent, à l'exception peut-être de la lointaine Terre de Feu. Tandis que les Espagnols accueillaient si avidement les rumeurs qui, dans la mer des Antilles ou à Panama, leur venaient de la « terre riche », de l'autre côté du continent, sur la côte du Brésil, les Portugais prêtaient la même attention à des rumeurs identiques. En 1508, huit ans à peine après la découverte fortuite du Brésil par Cabral, le capitaine d'un bateau envoyé en reconnaissance par un armateur portugais était revenu du Brésil avec la nouvelle qu'à l'intérieur il y avait « un peuple des montagnes, aux riches armures faites de fines plaques d'or couvrant la poitrine et la tête ». Non loin de l'endroit où il avait débarqué, un autre navigateur obtenait d'Indiens entièrement nus qui se servaient de haches de pierre et d'outils en bois et en os, « une hache en argent et des morceaux d'un métal couleur de laiton, qui ne noircissait pas ».

Les Portugais qui apprirent « la bonne nouvelle de la terre riche » avaient sans doute atteint la côte méridionale du Brésil, occupée alors par les Carios, tribu apparentée aux Indiens guaranis du Paraguay et de longue date en rapport avec l'empire des Incas, dont ils recevaient des objets en métal. Comme tous les peuples à l'âge de la pierre, ils en étaient extrêmement avides. Pour s'en procurer, ils ne craignaient pas de s'aventurer dans « l'enfer vert » du Chaco qui s'interposait entre eux et les Andes où l'on travaillait le cuivre, le bronze, l'or et l'argent. Ils s'approvisionnaient de préférence chez les tribus limitrophes de l'Empire, abondamment pourvues en métal et qui, en outre, étaient une proie facile. Cependant, poussées par leur cupidité, certaines bandes guaranies franchissaient le *limes* inca et risquaient des incursions à l'intérieur de l'Empire. Les chroniqueurs espagnols qui ont recueilli les traditions historiques de l'ancien Pérou font souvent mention de ces raids et nous disent que les empereurs Yupanqui et Huayna-Capac fortifièrent leurs frontières pour arrêter les « barbares ». Le tracé peut aujourd'hui en être reconstitué grâce aux ruines de ces ouvrages défensifs. Quant aux Indiens guaranis qui, toujours plus nombreux, harcelaient les avant-postes incas, ils finirent par s'établir sur les terres conquises. Leurs descendants, les Indiens chiriguanos parlent le guarani et n'ont pas perdu le souvenir de leur ancienne patrie, le Paraguay, comme ils l'ont démontré lors de la guerre entre ce pays et la Bolivie en 1934.

Les pillards guaranis convoitaient surtout les haches et les tranchets en cuivre et en bronze, outils beaucoup plus efficaces que ceux en pierre ou en os dont ils usaient. Ils ne dédaignaient pas cependant les parures en métal. Quelques bribes de ce butin parvenaient par voie d'échange aux peuples de la côte et au rio de la Plata. C'est pourquoi les Portugais et les Espagnols trouvèrent des bracelets et des plaques pectorales en argent et en or chez des Indiens relativement primitifs qui ne savaient ni extraire, ni travailler le métal et qui, interrogés sur la provenance de ces pièces, montraient le couchant et parlaient vaguement d'une « montagne d'argent », d'un roi blanc, de huttes en pierre et de « cerfs à longs poils » domestiqués – les lamas.

Les récits qu'ils faisaient au sujet de cette lointaine et mystérieuse région, du moins ce que l'on en pouvait comprendre, incitèrent quelques membres de l'expédition Solis, naufragés à Santa Catarina, à partir à la recherche de cette terre lointaine dont leurs hôtes, les Indiens carios, ne cessaient de leur parler. Cinq d'entre eux, sous la conduite du portugais Alejo Garcia, se rendirent par voie de terre au Paraguay où ils s'associèrent à une bande de guerriers guaranis avec lesquels ils razzièrent plusieurs villages péruviens. Alejo Garcia s'en retourna au Paraguay suivi, dit-on, d'une troupe de captifs, portant un riche butin. Avant d'avoir atteint la région de Santa Catarina, où ses compagnons l'attendaient, il fut tué par les Indiens tupis, mais quelques-uns de ses captifs réussirent à parvenir à la côte avec un peu d'or et d'argent. Quand les conquistadors arrivèrent à leur tour au Paraguay, prêts à suivre les traces d'Alejo Garcia, les Guaranis leur donnèrent de nombreux détails sur les exploits de ce hardi aventurier qui, une dizaine d'années avant Pizarro, avait été le premier homme blanc à pénétrer dans l'empire des Incas.

« La grande nouvelle » de la « montagne d'argent » et du « roi blanc » ne tarda pas à franchir les mers. L'empire des Incas, encore inconnu, par le prestige de ses fabuleuses richesses et par la fascination qu'il exerçait sur les tribus sauvages, attirait comme un aimant les caravelles vers les côtes du Pacifique et de l'Atlantique.

En 1526, une flotte commandée par le navigateur génois Sébastien Cabot quittait l'Espagne à destination des Moluques. Le commerce des épices procurait à ceux qui s'y adonnaient de grands bénéfices, mais ils parurent maigres au chef de cette expédition en regard des richesses que lui promettait la terre mystérieuse dont, comme tant d'autres, il avait entendu parler. C'est pourquoi, sans hésiter, il mit le cap à l'ouest et se dirigea vers le rio de la Plata. S'il avait eu quelques doutes sur la sagesse de son projet, ils eussent été dissipés par les naufragés de Santa Catarina qui lui rapportèrent l'exploit d'Alejo Garcia et lui assurèrent que « s'il remontait le rio de la Plata, il lui serait facile de charger ses bateaux d'or et d'argent, même si ceux-ci étaient plus grands, car la rivière du Parana et celles qui s'y jetaient conduisaient à une montagne où les Indiens avaient coutume d'aller et venir et que, dans cette montagne, il y avait diverses espèces de métal et beaucoup d'or et d'argent, et un autre métal dont ils ne connaissaient pas la nature » (sans doute le bronze). Ils lui dirent aussi que « à ce qu'ils savaient, les habitants de cette montagne portaient des couronnes d'argent sur la tête et des plaques d'or au cou ». De cet or, ils lui montrèrent quelques échantillons.

Cabot suivit ces conseils. Remontant le rio de la Plata, il parvint par le Parana au Paraguay. Les Indiens guaranis qu'il y rencontra étaient abondamment pourvus de parures en argent et même en or, mais le butin qu'il fit parmi eux n'était rien en comparaison des informations nombreuses et précises qu'il recueillait sur les « maîtres du métal ». Des plaines broussailleuses l'en séparaient, qui semblaient s'étendre à l'infini. Dans un décor misérable, entourés de tribus hostiles, les Espagnols, réduits à se nourrir de chiens et de rats, oubliaient leurs souffrances en écoutant les « bonnes relations que les Indiens leur faisaient de la montagne d'argent et du roi blanc ». L'expédition de Sébastien Cabot échoua entièrement. Elle n'a laissé dans l'histoire qu'un nom propre, souvenir d'un mirage, rio de la Plata, « la rivière d'argent », ainsi baptisée parce qu'on avait cru que ses eaux boueuses étaient la route la plus directe vers la merveilleuse montagne.

Tandis que Cabot s'efforçait d'atteindre le Pérou par les grands fleuves des pampas argentines, Pizarro et Almagro, en suivant la côte du Pacifique, s'approchaient eux aussi de la

Travail de l'or dans les mines péruviennes, selon de Bry.

terre riche. Les jours de l'Empire inca, menacé de deux côtés, étaient comptés.

En 1535, la plus grande armée que l'Espagne eût jamais envoyée aux Indes occidentales s'embarquait sur une flotte « digne de César ». Son chef, le très noble *adelantado* Pedro de Mendoza, se flattait de réussir là où Cabot avait échoué. Au moment où il quitta l'Espagne, l'empire des Incas était déjà aux mains des Espagnols. Six mois plus tôt, les trésors de la rançon d'Atahuallpa étaient arrivés à Séville. Or, aussi étrange que la chose paraisse, personne, dans la grande armada de Pedro de Mendoza, ne semble s'être avisé que la « montagne d'argent » dont on voulait entreprendre la conquête, n'était autre que le Pérou dont le souverain, le « roi blanc » de la légende, avait été étranglé deux ans auparavant. Mendoza et ses compagnons ne poursuivaient plus que le scintillement d'un empire défunt.

Nous ne nous étendrons point ici sur cette désastreuse expédition. En 1540, Ayolas, un des lieutenants de Pedro de Mendoza, atteignait la « montagne d'argent », c'est-à-dire la cordillère des Andes, mais il fut massacré à son retour, ainsi que tous ses compagnons. En 1548, Irala, poursuivant la même chimère, partait du Paraguay et parvenait à son tour aux confins du Pérou. Devant l'hostilité de ses compatriotes qui y étaient établis et voyaient avec méfiance ces intrus venus de l'Atlantique, il rebroussa chemin n'ayant pas perdu l'espoir de conquérir un autre empire encore plus riche. Telle était la force d'illusion des Espagnols que, pendant plus d'un siècle, ils furent en quête d'un pays fabuleux où l'or et l'argent seraient aussi communs que les cailloux des grands chemins, sans se douter qu'ils étaient à la recherche d'un royaume déjà conquis. Les Indiens avaient beau le leur décrire en des termes qui eussent dessillé les yeux des plus naïfs, allant jusqu'à leur indiquer sa situation réelle vers le couchant, les conquérants s'obstinaient à le placer quelque part vers l'est des Andes, au nord du Paraguay ou dans la Bolivie orientale.

Ni les souffrances endurées par les membres de ces expéditions, ni l'inutilité de leurs efforts ne purent entamer chez les Espagnols l'espoir d'atteindre cet *El Dorado*. Ce n'est que beaucoup plus tard, lorsque les jésuites eurent entrepris la conquête spirituelle de l'Amazonie, que le mirage finit par se dissiper. Chacune de ces folles « entrées » a coûté du sang. Aux Espagnols qui périrent égarés dans la forêt s'ajoutent les centaines ou les milliers d'Indiens qui succombèrent à la fatigue ou furent massacrés. Que reste-t-il de tant de peine et de tant d'espoirs déçus ? De rares documents d'archives et des noms de tribus disparues. Ces imaginations ont laissé une légère empreinte dans la littérature française : Candide et son serviteur Cacambo qui « parlait péruvien », après avoir fui le Paraguay, pénètrent dans l'*El Dorado* où ils apprennent de la bouche d'un vieillard qu'ils sont dans « l'ancienne patrie des Incas » qui a conservé ses richesses et ses mœurs sages et pures. Ce sont les historiens jésuites du Paraguay qui ont inspiré à Voltaire l'épisode d'*El Dorado*, cet *El Dorado* que les Espagnols avaient vainement cherché non loin des régions où leur ordre avait fondé ses fameuses missions.

Le mythe des Amazones, commun à l'Ancien et au Nouveau Monde, a emprunté en Amérique du Sud sa substance à une vision plus ou moins fantaisiste de l'empire des Incas. Le royaume des femmes sans hommes a été confondu avec le Pérou ou placé dans son voisinage. Le moine dominicain Gaspar de Carvajal, qui participa à la première descente de l'Amazone en compagnie d'Orellana (1541) et en fut aussi le chroniqueur, prétend avoir été éborgné en combattant ces redoutables guerrières. Cette escarmouche, dont le souvenir a été immortalisé par le nom du grand fleuve américain s'est produite peu avant qu'Orellana en ait atteint l'embouchure. Avant de rencontrer les Amazones, Carvajal avait appris qu'elles étaient très riches et qu'elles exigeaient des Indiens qui leur étaient soumis des tributs de plumes de perroquets. Il dit tenir tous ses renseignements d'un Indien qu'il interrogea par le moyen d'un vocabulaire qu'il avait lui-même établi. Il apprit ainsi que le royaume des Amazones comportait « soixante-dix *pueblos* construits en pierre avec des portes » reliés entre eux par des routes que protégeaient des murs et des postes de garde. Son informateur lui raconta aussi « qu'entre ces femmes il y avait une dame qui les tenait toutes en sujétion, qu'il y avait dans leur pays de très grandes richesses en or et en argent et que les plébéiennes seules se servaient de récipients en bois, sauf ceux destinés à aller sur le feu et qui étaient en argile. Il lui dit enfin que, dans la capitale et principale ville où résidait cette dame, il y avait cinq bâtiments très grands qui étaient des sanctuaires et des maisons consacrées au Soleil... et que dans celles-ci il y avait beaucoup d'idoles en or et en argent en forme de femmes et de vaisselle d'or et d'argent pour le service du

Soleil et que ces femmes étaient toutes vêtues d'étoffes de laine très fines parce que, dans cette terre, il y a beaucoup de moutons comme ceux du Pérou ».

Quelques années plus tard, les Espagnols qui accompagnaient Alvar Nuñez Cabeza de Vaca dans sa malencontreuse expédition pour découvrir un Pérou fantôme, recueillirent une nouvelle version du mythe des Amazones chez les Indiens du haut Paraguay. Ceux-ci leur affirmèrent qu'ils étaient à peu de distance de femmes guerrières qui possédaient des trésors et mangeaient dans de la vaisselle d'or et d'argent. Ils précisèrent même que, dans le voisinage de ces femmes, il y avait de grandes villes, un lac appelé (sic) maison du Soleil où cet astre était enfermé ; que les naturels de ce pays étaient habillés, qu'ils vivaient dans des huttes de pierres, qu'ils utilisaient des cerfs à long poil et qu'ils avaient une ville si grande qu'on ne pouvait la traverser en un jour. Ces allusions au Pérou étaient d'autant plus claires que les Indiens déclarèrent savoir qu'au-delà des montagnes il y avait une grande nappe d'eau et que des Espagnols circulaient à cheval dans cette contrée.

On a prétendu que le mythe des Amazones était né d'une connaissance assez confuse de l'institution incaïque des *acllacuna* ou femmes choisies enfermées dans des sortes de couvents. Le thème folklorique des femmes-sans-hommes était sans doute très répandu chez les Indiens des forêts bien avant l'empire des Incas. S'il doit quelque chose au prestige de celui-ci, ce ne sont guère que détails surajoutés : la richesse en métaux précieux, les huttes en pierre et la puissance de ces êtres fabuleux. Comme l'*El Dorado*, le pays des Amazones a été paré de toutes les merveilles réelles ou imaginaires que les Indiens des forêts attribuaient au mystérieux pays situé vers le couchant.

La découverte du royaume des Incas, sa conquête rapide et brutale impressionnèrent profondément l'Europe. Dès 1534, en Italie, en Allemagne et en France des écrits circulaient, précurseurs de notre presse, qui décrivaient le Pérou, ses richesses et la fabuleuse rançon payée à Pizarro par l'empereur Atahuallpa. Ces opuscules reproduisaient de façon plus ou moins exacte le contenu de lettres ou de rapports envoyés de Panama au roi d'Espagne par les officiers de la Couronne. Une feuille imprimée à Lyon en 1534, sous le titre *Nouvelles certaines des isles du Pérou*, promet à ses lecteurs « plusieurs choses nouvelles, tant de richesses inestimables d'or et d'argent et de pierres précieuses en cette province trouvées et d'iceluy pays emenées ». En fait, cette feuille contient le récit de la capture d'Atahuallpa et des détails sur les routes péruviennes ainsi que sur les ponts suspendus. Elle se termine par l'énumération des principales pièces du trésor que l'Inca avait livré à Francisco Pizarro pour sa rançon et dont une bonne partie avait été expédiée au roi d'Espagne.

Une gazette italienne, parue à la même époque, s'écarte plus de la réalité. Elle nous dépeint l'empereur du Pérou porté sur une litière en or incrustée de pierres précieuses. Selon l'auteur de ce « reportage », tous les biens de la terre auraient été concentrés au Pérou, puis qu'au montant de sa fabuleuse rançon Atahuallpa aurait ajouté mille charges de canelle. Le Pérou était bien la « vigne de Dieu ».

En lisant Gomara, Montaigne a été ému par le destin des Incas. Dans le chapitre « des coches », il se départ de son détachement philosophique pour s'indigner des cruautés gratuites des Espagnols auxquels il refuse la gloire de victoires trop faciles. Il dénonce la mauvaise foi de Pizarro faisant exécuter Atahuallpa qui avait donné « par sa conversation signe d'un courage franc, libéral et constant et d'un entendement net et bien com-

La tragédie de Cajamarca et la prise de Cuzco selon de Bry.

posé », et qui, surtout, avait fidèlement payé sa rançon. Ce qu'il sait de la civilisation péruvienne provoque son admiration. A propos des grandes routes incas, il déclare que « ny Graece, ny Rome, ny Aegypte, ne peut, soit en utilité, ou difficulté, ou noblesse, comparer aucun de ses ouvrages ». L'excellence des Indiens ne se manifestait pas seulement dans leurs industries. Sur le plan moral, ils nous étaient supérieurs : « Mais, quant à la dévotion, observance des lois, bonté, libéralité, loyauté, franchise, il nous a bien servy de n'en avoir pas tant qu'eux : ils se sont perdus par cet advantage, et vendus, et trahis eux mesme. »

Si les ressources minières des Incas ont engendré le mythe de l'*El Dorado*, leurs institutions, telles que les Espagnols nous les ont révélées, allaient faire naître un autre mythe : celui d'un royaume d'Utopie ayant réalisé avant la lettre le parfait idéal de l'État socialiste.

C'est surtout au XVIIIe siècle que philosophes, romanciers et auteurs dramatiques se sont plu à évoquer l'image d'un Empire péruvien dont les souverains, pleins de vertus, assuraient le bonheur d'un peuple simple grâce à leurs lois sages. S'il n'est pas certain que Campanella ait songé au Pérou en écrivant sa *Cité du Soleil*, en revanche Morelly, un précurseur du socialisme, nous avertit dans la préface de sa *Basiliade* (1753), sorte d'épopée philosophique, « que l'action entière de son poème prouve la possibilité d'un système qui n'est point imaginaire, puisqu'il se trouve que les mœurs des peuples que gouverne Zeinzeminn ressemblent, à peu de choses près, à celles des peuples de l'Empire le plus florissant et le mieux policé qui fût jamais ; je veux parler de celui des Péruviens. » *(Naufrage des isles flottantes ou Basiliade du célèbre Pilpai, poème héroïque traduit de l'indien par Mr. M..., 1753.)*

L'empire des Incas posa à l'abbé Raynal un problème épineux : comment réconcilier sa conviction que seule la propriété privée pouvait apporter le bonheur et élever les peuples à la grandeur avec le fait que les Péruviens vivaient prospères et comblés sous un régime collectiviste ? Il nous explique avec embarras que, si leur système n'a pas conduit les Péruviens à la dépopulation et à l'anarchie, « ce fut vraisemblablement parce que les Incas ne connaissaient pas l'usage des impôts et, n'ayant pour subvenir aux besoins du gouvernement que des denrées en nature, ils durent chercher à les multiplier ». Il complète sa démonstration par le singulier

argument que « le patrimoine de l'Inca était si confusément mêlé avec celui de ses sujets qu'il n'était pas possible de fertiliser l'un sans fertiliser l'autre ». Le XVIIIe siècle a cru à la perfection de l'État inca, les uns parce qu'ils le supposaient communiste et les autres parce qu'il était soumis à un despotisme éclairé.

Le roman de Marmontel, *les Incas*, fade et ennuyeux à nos yeux, fut très lu, car il présentait, à une époque éprise du bon sauvage, des hommes que les lois avaient rendus parfaits : « Tout dans les mœurs était réduit en lois : ces lois punissaient la paresse et l'oisiveté, comme celles d'Athènes; mais en imposant le travail, elles écartaient l'indigence ; et l'homme,

Le bon sauvage, *illustration extraite de l'*Histoire des Incas *de Garsilaso.*

forcé d'être utile, pouvait du moins espérer d'être heureux. Elles protégeaient la pudeur, comme une chose inviolable et sainte ; la liberté, comme le droit le plus sacré de la nature ; l'innocence, l'honneur, le repos domestique, comme les dons du ciel qu'il fallait révérer. » Chez les Incas, même la théocratie si haïe de Marmontel était aimable, car « l'habitude des bonnes mœurs rendait les lois comme inutiles : elles étaient préservatives et presque jamais vengeresses ».

L'enthousiasme suscité par les institutions incaïques chez les hommes du siècle des Lumières déclina lors du triomphe de la bourgeoisie. Les grands mouvements sociaux de notre époque devaient ranimer l'image d'un empire des Incas partiellement socialiste. Nul n'a mieux exprimé cette conviction que l'ethnographe et historien péruvien Luis Valcarcel. Selon ce dernier, le génie des Incas se serait surtout manifesté dans l'aménagement économique. « L'ensemble de nos sources, dit-il, nous permettent de soutenir que peu de civilisations – sinon aucune – n'ont possédé une organisation si propre à préparer l'homme à la conservation, l'augmentation et l'expansion de son existence. L'État, grand et unique entrepreneur, avec ses services de statistique et d'administration, ses lois, ses préceptes, sa discipline, son dynamisme créateur lui permettant de mobiliser l'ensemble de la population, annulant le chômage improductif et le parasitisme, a aboli la distinction entre les activités économiques, politiques et techniques. L'analyse de ce phénomène d'association nous révèle le caractère socialiste du *Tahuantin-suyu.* Il est l'espèce péruvienne du genre socialiste. »

Après tant d'autres, nous cherchons à évoquer la curieuse civilisation des Incas, à laquelle Toynbee accorde une place de choix parmi ses vingt et une civilisations originales. Le prodigieux développement de l'ethnologie nous permet aujourd'hui d'examiner les mêmes faits, connus de longue date, sous un jour nouveau. En vingt ans, l'archéologie a bouleversé toutes nos notions quant à l'origine et à l'évolution des civilisations péruviennes. En outre, on a trop souvent oublié que les descendants des Incas forment encore un bloc imposant : six ou sept millions d'individus représentant le groupe indigène le plus nombreux et le plus compact des Amériques. Bien qu'en quatre siècles leurs coutumes, leurs croyances et leurs institutions se soient profondément modifiées, il est encore possible de combler les lacunes de notre documentation et de confronter le témoignage des chroniqueurs aux vestiges de l'ordre ancien. L'étude de textes administratifs se révèle souvent plus fructueuse que l'exégèse des ouvrages classiques sur l'empire des Incas. Le progrès de l'anthropologie sociale, en nous arrachant à notre ethnocentrisme, a permis une interprétation plus judicieuse d'usages et de traditions qui nous ont été présentés selon une optique occidentale. Ces recherches n'ont pas diminué l'admiration que mérite l'empire des Incas ; bien au contraire, elles ont mis en lumière l'originalité véritable de ses institutions et les difficultés surmontées pour créer un État aussi vaste et aussi prospère.

Le terme d'*inca* est ambigu et, dans l'usage courant, s'est écarté de son sens premier : *chef*. Le souverain du Pérou était l'Inca par excellence, titre également conféré aux membres de sa famille et aux lignages qui lui étaient apparentés. Il fut même étendu à des groupes alliés parmi lesquels se recrutaient des fonctionnaires impériaux. Le mot *inca* pourrait donc se traduire par *souverain* et par *noble*.

Aujourd'hui, ce mot, nom et adjectif, désigne tout ce qui se rapporte à l'histoire ou à la civilisation de la dynastie des Incas. Il est appliqué notamment au peuple sur lequel elle a régné. On aurait dû, en bonne logique, l'attribuer aux Indiens modernes de la région andine de l'Équateur, du Pérou et de la Bolivie qui, dans une large mesure, sont les héritiers directs de la civilisation qui a fleuri sous les souverains portant ce titre. Pendant la période coloniale, seuls les nobles d'ascendance impériale avaient droit au titre d'Inca, ce terme n'ayant pas encore perdu sa signification véritable.

C'est le nom de *quechua* que les missionnaires donnèrent à la *runa-simi* ou *langue des hommes*, et c'est par ce nom que l'on désigne aujourd'hui encore les Indiens qui la parlent. Une fois de plus, le hasard et la confusion ont présidé au destin d'un terme, puisque par *quechua* il faut entendre les terres de culture situées dans les vallées andines entre mille et trois mille mètres. C'est dans cette zone privilégiée que s'est formé le peuple qui, sous la conduite de la dynastie des Incas, allait fonder un empire. L'histoire des Indiens du Pérou comporte donc deux périodes : celle des Incas proprement dits, qui se termine au XVIe siècle, et celle des Quechuas qui se continue sous nos yeux et ne s'achèvera que lorsque les Indiens des trois Républiques andines auront été définitivement intégrés à la population d'origine espagnole.

Les précurseurs

Lorsqu'au XIIIe ou XIVe siècle de notre ère une petite tribu montagnarde jeta dans la vallée du Cuzco, à quelque trois mille quatre cents mètres d'altitude, les bases du plus vaste empire de l'Amérique précolombienne, plus de dix civilisations s'étaient déjà succédé sur les hautes terres et les déserts qui s'étendent de l'Équateur à la Bolivie. Les conquérants incas, tard venus sur la scène andine, héritaient d'une tradition vieille d'environ quatre mille ans. Au siècle dernier, on leur attribuait indistinctement toutes les ruines du Pérou et de la Bolivie, ainsi que d'innombrables poteries et tissus que nous livrait le pillage des immenses nécropoles de la côte. Nos sources historiques n'accordant à l'Empire inca qu'une durée de quelques siècles, les civilisations andines apparaissaient sans profondeur. Assigner à leur origine les débuts de l'ère chrétienne était presque une audace. Pour expliquer ce rapide épanouissement d'une civilisation dont l'éclat était indéniable, on se plaisait à imaginer des influences venues d'au-delà des mers. Égypte, Inde, Cambodge, Chine, Polynésie ont tour à tour été évoqués pour expliquer tel aspect d'un art ou d'une architecture ou même d'une institution dont l'équivalent se retrouvait dans le vieux monde.

Un demi-siècle de fouilles patientes, dont le grand archéo-

Sculpture de Sechin : le guerrier blessé, période Chavin.

logue allemand Max Uhle a été l'initiateur, ont modifié cette vision sommaire de la genèse des civilisations andines. Nous savons, aujourd'hui, qu'il y a neuf mille ans, des hommes à peine différents des Indiens modernes erraient dans les vallées des Andes, sur les hauts plateaux et sur les rives du Pacifique en petits groupes de chasseurs. Certains de leurs outils ont été exhumés dans des abris sous roche ou recueillis à même le sol sur les sites de leurs anciens campements. Le squelette de l'un d'eux vient d'être découvert dans une grotte à Lauricocha. Les immenses amas coquilliers, reliefs d'innombrables repas, qui s'échelonnent tout au long de la côte pacifique attestent l'antiquité de l'occupation humaine dans ces parages désolés. Ces déserts, parmi les plus arides de la terre, étaient habités, dès le troisième millénaire avant notre ère, par des populations inconnues, établies dans des hameaux à maisons souterraines. Celles-ci étaient situées en bordure des rivières qui, coupant la zone des sables, apportent vie et prospérité à leurs vallées. Ces peuples ajoutaient aux ressources de la pêche celles d'une agriculture rudimentaire. Le courant de Humboldt, le long du littoral péruvien, est comparable à une grande rivière de quelque cent milles de largeur, dont les eaux froides, riches en plancton, comptent parmi les plus poissonneuses du globe. Si inhospitalier que soit le milieu, l'homme y était donc assuré d'une subsistance abondante. Il la partageait avec les millions d'oiseaux qui hantent cette côte.

Ces peuplades côtières avaient déjà réalisé de grands progrès dans le domaine de la technique : groupées en villages, elles possédaient un outillage varié et fabriquaient des étoffes sans métier à tisser, par des techniques habiles.

Ni la céramique, qui fit son apparition vers 1200 avant J.-C., ni les progrès de l'agriculture et de l'artisanat ne transformèrent au cours de cette période initiale (1200-700 av. J.-C.), le genre de vie de ces populations archaïques qui continuèrent à se développer lentement dans les vallées de la côte.

Vers le VIIIe siècle avant notre ère, le maïs, jusqu'alors inconnu, commence à prendre rang dans l'alimentation. D'où venait cette précieuse céréale dont les Indiens, conscients de son rôle vital dans leur économie, ont fait une « sœur » ou une « mère » mythique ? Malgré les recherches assidues des botanistes, nous continuons à ignorer la région d'Amérique d'où, après un long processus d'hybridation, elle est issue. Des découvertes récentes de pollens de maïs fossilisés favoriseraient l'hypothèse d'une origine centro-américaine. Quoi qu'il en soit, c'est du nord que cette plante semble être parvenue au Pérou.

La culture du maïs coïncide avec un brusque changement dans l'évolution culturelle de la région andine. Une civilisation complexe et vigoureuse manifeste sa présence par une conception architecturale et un style artistique qui, sous divers aspects, s'imposent dans le centre et le nord du Pérou, sur le littoral comme dans les terres hautes. Le site de Chavin, dans une vallée andine au nord de Lima, qui a donné son nom à cet « horizon archéologique », est célèbre par les ruines monumentales d'un sanctuaire dont il subsiste des plates-formes massives, percées de galeries et de chambres superposées.

La diffusion de cet art n'implique pas, comme on l'a cru, l'existence d'un empire qui aurait englobé une large partie du Pérou. Chavin a été, soit la capitale d'un petit État théocratique qui tirait ses ressources du travail de communautés agraires, soit un centre de pèlerinage fréquenté par des milliers de fidèles comme, à l'époque incaïque, le temple de Pachacamac, au sud de Lima, et aujourd'hui le sanctuaire de Copacabana sur le lac Titicaca, que visitent en moyenne chaque année soixante mille Indiens. C'est peut-être avec le concours de ces pèlerins que le temple de Chavin a été construit et c'est, sans doute, à son prestige qu'est dû son rayonnement artistique. Quelle que soit l'hypothèse envisagée, il n'en est pas moins certain que Chavin est la première grande civilisation du Pérou dont l'influence se soit fait sentir sur un vaste territoire. Ce n'est qu'à l'époque de la civilisation de Tiahuanaco (Xe siècle après J.-C.) et à celle des Incas (XIVe siècle après J.-C.) que nous assisterons à la répétition du même phénomène.

On fait remonter à l'époque de Chavin la cristallisation des principales caractéristiques des civilisations andines, dont celle des Incas est pour nous la plus représentative. La culture du maïs et de plusieurs plantes nouvelles a accru les ressources d'une population qui, de plus en plus, tend à se concentrer en bourgades. L'architecture, surtout religieuse, atteint un haut degré de développement et fait usage de la pierre taillée. La sculpture produit quelques chefs-d'œuvre, bien que les artistes, prisonniers de la matière, excellent dans le bas-relief plutôt que dans la ronde-bosse. L'essor du tissage est favorisé par la découverte ou l'adoption du métier. La céramique de l'horizon de Chavin, surtout connue par les fouilles pratiquées à Cupinisque, préfigure, dans le nord, la richesse et la variété de la poterie mochica. La métallurgie se réduit presque exclusivement au travail de l'or dont les tombes nous ont livré d'admirables échantillons. Derrière ces monuments massifs, ces réalisations artistiques ou techniques, se profile l'ombre d'États organisés, sans doute, sous l'autorité d'une caste sacerdotale. C'est à cette époque que s'élaborent les grands mythes cosmiques et les formes politiques dont les Incas hériteront dix-huit siècles plus tard.

A la civilisation de Chavin succède, au deuxième ou troisième siècle de notre ère, la première période intermédiaire, dite des « Expérimentateurs », en raison des techniques nouvelles que les fouilles nous ont révélées, tant dans le domaine de l'agriculture que dans celui de l'architecture et de la céramique. Cette période, à la différence de celle qui l'a précédée, manque d'unité. Seul un lien chronologique associe les civilisations locales qui ont fleuri à cette époque, sur la côte comme dans la Sierra – Gallinazo, Salinar, Paracas, Chanapata (près du Cuzco) et Chiripa en Bolivie.

Les « Expérimentateurs » représentent la phase initiale de civilisations qui portent l'épithète de « classiques ». En effet, tandis que la civilisation de Chavin disparaît assez brusquement dans l'aire très vaste où elle s'était implantée, les cultures de la période « expérimentale » n'offrent aucune solution de continuité avec leurs héritières. La transition des unes aux autres s'effectue imperceptiblement.

L'âge classique de l'archéologie péruvienne correspond à la période dite des « Maîtres artisans », ou plus simplement de la « Floraison ». Il y a quelques années, on le situait entre le VIe et le Xe siècle de notre ère. Aujourd'hui, les spécialistes lui assignent comme dates extrêmes le IIIe siècle avant J.-C. et le IXe après J.-C. Quoi qu'il en soit de cette chronologie, il est admis que, vers les débuts de l'ère chrétienne, les nombreuses civilisations locales, dont les archéologues ont reconstitué les constants progrès, atteignent au nord du Pérou, dans les vallées de Moche, Chicama et Viru, et au sud, dans la région de Nazca, leur pleine maturité. La vie urbaine s'organise dans le cadre de véritables États. Arts et techniques sont à leur apogée.

Les Indiens de la côte nord, auxquels on a donné le nom de Mochicas ou encore de Proto-Chimus pour les distinguer de leurs héritiers, les Chimus, ne nous sont connus que par le contenu de leurs sépultures, merveilleusement préservé par les sables, et surtout par leur art, de tendance réaliste. Par une ironie fréquente en archéologie, leur vie quotidienne, ainsi que certains éléments de leur mythologie, nous est familière, alors que leur langue, leur histoire, leurs croyances et leurs institutions échappent à notre curiosité.

C'est toute une société complexe et raffinée que les milliers de vases et de jarres exhumés des tombes mochicas (le musée Larco Herrera, à Lima, en possède à lui seul quelque 50 000 spécimens) ressuscitent pour nous par le modelage comme par la peinture. Les céramistes mochicas se sont plu à représenter leurs contemporains avec un singulier souci d'exactitude et de réalisme. Leur choix est éclectique : pas de classe ni de condition qui ne leur servent de modèles. La beauté et la laideur les inspirent également. Enfin, ils s'intéressent aussi volontiers aux côtés misérables de l'existence qu'à ses formes les plus nobles, à l'érotisme comme au surnaturel. Certains sujets traités dans leur céramique préfigurent étrangement les scènes dont les Espagnols furent témoins lorsqu'ils pénétrèrent dans l'empire des Incas. Les souverains mochicas, figurés sur les vases, parés de diadèmes et de bijoux, sont assis sur un palanquin, pareils à Atahuallpa quand il apparut, dans toute sa gloire, sur la grande place de Cajamarca, le 16 novembre 1532. Quelques jours plus tard, les conquistadors qui avaient capturé l'empereur inca s'étonnèrent de ce qu'aucun de ses sujets, grand dignitaire ou simple serviteur, ne s'approchât sans une charge sur le dos en signe d'humilité. Or, sur les poteries mochicas, les petits personnages qui se dirigent vers celui que sa haute taille désigne comme le souverain ploient, eux aussi, sous le poids d'un fardeau.

Démon guerrier, période mochica.

Si, laissant de côté ces évocations d'un cérémonial de cour dont la tradition remonte au début de notre ère, nous nous tournons vers d'autres sujets, les parallèles entre Mochicas et Incas se multiplient malgré la dizaine de siècles qui les séparent. Dans les guerriers mochicas, peints sur le flanc de vases ou modelés en ronde-bosse, nous reconnaissons les soldats de l'Inca qui s'affrontèrent aux Espagnols sur la route du Cuzco. Leur armement était sensiblement le même : fronde, propulseur, casse-tête en métal ou en pierre, bouclier carré, casque. C'est sans trop d'anachronisme qu'on illustrerait l'épopée militaire des Incas par la céramique mochica.

De nombreux aspects moins spectaculaires de la civilisation mochica rendus par ses potiers pourraient être commentés par les textes espagnols du XVIe siècle, nous décrivant les heures et les jours des Incas : ateliers de tissage où des femmes fabriquent d'admirables étoffes à l'aide de métiers rudimentaires, opérations chirurgicales, arrivée de messagers, parties de jeu, cérémonies religieuses. Sur une grande fresque polychrome d'une des pyramides de Moche, on distingue encore des objets anthropomorphisés en révolte contre leurs possesseurs. Il s'agit là d'un vieux mythe, commun aux Mayas et aux Incas, dont une version a été recueillie au XVIIe siècle et une autre, il y a quelques années, chez les Indiens chiriguanos et tacanas qui vivent en bordure de l'ancien Empire inca. Beaucoup des croyances mochicas étaient donc partagées par les Incas.

La richesse de l'État des Mochicas, qu'atteste le luxe des mobiliers funéraires exhumés, reposait sur une agriculture savante. Un gigantesque réseau de canaux drainant l'eau des rivières côtières fertilisait les sables sur de grandes étendues. Les vestiges de cet énorme système d'irrigation comptent parmi les réalisations les plus surprenantes de l'Amérique précolombienne. Le grand aqueduc d'Ascope mesure par endroits quinze mètres de hauteur et traverse une vallée sur plus de quinze cents mètres. Dans la vallée de Chicama, on suit sur plus de cent kilomètres le tracé d'un profond canal.

Des travaux d'une telle envergure impliquent un ensemble de décisions prises au niveau d'un pouvoir central suffisamment fort pour lever et diriger les nombreuses équipes de terrassiers qu'exigent de telles entreprises. L'utilisation de l'eau, le maintien en état des canaux et des aqueducs, la réparation des écluses n'étaient possibles que sous le contrôle d'une administration efficace. Comme en Égypte et en

Mésopotamie, la conquête du désert sur la côte péruvienne postule l'existence d'une autorité respectée et d'une bureaucratie bien organisée. Karl Marx avait déjà pressenti le rôle de l'irrigation dans la formation des gouvernements despotiques de type asiatique. Plus récemment, un sociologue allemand, Karl A. Wittfogel, a voulu expliquer par la lutte pour la maîtrise de l'eau les caractéristiques de civilisations auxquelles il a donné l'épithète d'« hydrauliques », par opposition à d'autres qu'il qualifie de « féodales ».

L'interprétation de Wittfogel vaut, en tout cas, pour les États préincaïques du littoral du Pacifique. Certaines scènes peintes sur les vases de la période mochica ne laissent aucun doute sur le caractère semi-divin des chefs et sur le respect superstitieux dont ils étaient entourés. A leur défaut, les pyramides du Soleil et de la Lune, à Moche, attesteraient l'étendue du pouvoir de ces souverains qui, dans leurs oasis, font figure de petits pharaons. Le système politique que les despotes mochicas ont créé, l'administration qu'ils ont mise en place ont survécu à leur civilisation et ont été adoptés par leurs successeurs. Le royaume chimu, qui a remplacé celui des Mochicas entre les xe et xve siècles de notre ère, est à beaucoup d'égards son héritier. De même que son art, malgré sa monotonie et son manque de vigueur, se rattache directement à celui des anciens Mochicas, l'État chimu perpétue jusqu'à l'arrivée des Espagnols l'ordre politique et administratif qui se dessine déjà chez ses précurseurs. Les Incas, à l'origine montagnards assez frustes, ont fortement subi l'emprise culturelle du royaume chimu. Nous savons que l'Inca Tupac-Yupanqui transplanta dans sa capitale des potiers chimus, renouvelant ainsi l'art de la céramique au cœur même de ses États. Cependant, l'influence des vieilles civilisations de la côte ne fut pas limitée aux seuls domaines techniques ou artistiques. Le cérémonial de la cour inca a été calqué sur celui observé chez les princes chimus. Il est fort possible que le système administratif des Incas ait été également emprunté aux Chimus qui, eux, le tenaient des Mochicas. En revanche, la civilisation de Nazca, à peu près contemporaine de celle des Mochicas, n'intervient pas dans la filiation que nous cherchons à établir entre les vieilles civilisations du Pérou et celle des Incas.

Les archéologues qualifient d'« expansionniste » la période, qui fait suite à l'âge « classique », des civilisations mochicas et de Nazca.

Cette période fut celle de la civilisation de Tiahuanaco, dont le haut lieu est un petit village de ce nom au sud du Titicaca. Là, à quatre mille mètres d'altitude, dans une plaine froide et battue des vents, on trouve, éparpillés sur le sol, les vestiges d'un ensemble de monuments mégalithiques qui sont parmi les plus grandioses de l'Amérique précolombienne. Ils étaient déjà en ruine lorsqu'au XVe siècle les Incas s'emparèrent de la région, habitée, alors comme aujourd'hui, par les Indiens aymaras. Les Incas étaient aussi peu renseignés que nous sur l'origine et l'histoire de cette ville morte. Sans doute leur paraissait-elle très ancienne, car c'est à Tiahuanaco que Viracocha, le Dieu suprême, aurait créé les hommes, d'après des modèles qu'il aurait sculptés en pierre. Ce sont certainement les grandes statues, raides et anguleuses, qui se dressaient jadis, plus nombreuses qu'aujourd'hui, parmi les décombres de Tiahuanaco, qui ont inspiré ce thème du vieux mythe andin.

En l'absence de toute tradition orale, nous continuons à nous demander par quels moyens un peuple vivant dans un milieu aussi ingrat que la *puna* bolivienne a pu mouvoir des masses de grès ou de basalte pesant jusqu'à cent tonnes, même si les carrières utilisées n'étaient pas aussi éloignées qu'on s'est plu à le dire. Bien que le cuivre ait été connu des constructeurs de Tiahuanaco, qui en faisaient des ciseaux et des crampons, l'art avec lequel ces immenses blocs ont été taillés, polis et agrémentés de niches et de bas-reliefs, est encore un sujet d'émerveillement. On reste confondu devant l'audace et la patience de ces hommes qui ont assemblé leurs matériaux souvent à l'aide de tenons et de mortaises, comme s'il s'agissait de pièces de menuiserie. Les ruines de Tiahuanaco ont inspiré les hypothèses les plus saugrenues. On leur a en particulier prêté une antiquité fabuleuse sur la

Lama, période de Tiahuanaco

base de soi-disant observations astronomiques. Il y a une trentaine d'années, Tiahuanaco était décrit dans les ouvrages les plus sérieux comme la capitale d'un « Empire mégalithique » égalant presque celui des Incas par son étendue et le dépassant en puissance et en génie artistique. Les bâtisseurs de Tiahuanaco ayant été identifiés aux Indiens aymaras, on eut recours à l'onomastique pour retrouver, de l'Argentine à l'Équateur, la preuve de l'extension de leur langue.

L'hypothèse d'un grand empire de Tiahuanaco précédant celui des Incas n'a pas résisté à la notion plus exacte du passé andin que nous devons à des fouilles systématiques. Il est possible, sinon probable, que la diffusion du style de Tiahuanaco soit le résultat de poussées militaristes de deux ou trois États dont on soupçonne vaguement l'existence. Cependant, les relations commerciales et surtout l'ascendant et le prestige d'un centre religieux suffiraient à expliquer la vogue dont cet art a joui dans la sierra et sur la côte. Même Tiahuanaco a été dépossédé de son auréole de grande métropole américaine pour faire simplement figure de ville sainte dont la plupart des édifices auraient eu une destination religieuse. Seule ferait exception la colline d'Akapana qui, avec son réservoir et ses pentes revêtues de murailles, a peut-être été une forteresse. Bien des problèmes seraient résolus si l'on pouvait prouver, comme le supposait l'archéologue W. C. Bennett, que Tiahuanaco a été bâti petit à petit avec la coopération intermittente de milliers de pèlerins. Certains de ses édifices semblent inachevés, et la fameuse Porte du Soleil elle-même ne paraît pas avoir été mise à sa place définitive. Quelques-uns des bas-reliefs qui la décorent n'ont pas reçu leur dernière touche.

Les archéologues, se fondant sur de faibles indices, auxquels ils donnent peut-être trop de crédit, considèrent la période de Tiahuanaco comme particulièrement agitée. Les États de l'époque classique, plus peuplés, se seraient lancés dans des guerres incessantes qui aboutirent, soit à leur mutuelle destruction, soit à leur union. En admettant même que la civilisation de Tiahuanaco ait été l'œuvre d'une nation conquérante, il ne semble pas que, devançant les Incas, celle-ci ait su organiser et administrer les territoires soumis. On n'a retrouvé sur la côte ni ville, ni monument qui puisse à coup sûr lui être assigné. C'est du seul mobilier funéraire que nous concluons à la prédominance d'un art nouveau issu des Terres hautes.

Le style de Tiahuanaco, transplanté chez les peuples du littoral, s'y est simplifié et affadi. C'est pourquoi on l'a qualifié d'« épigonal », ainsi que la période qu'il définit. Aujourd'hui, on a substitué à cette étiquette celle de Huari-Tiahuanaco. En effet, près de la localité de Huari, dans la vallée du Mantaro, on a découvert une architecture et une poterie ayant subi, à beaucoup d'égards, l'influence de Tiahuanaco. Huari est apparu alors comme le foyer d'où, sous une forme provinciale, l'art de Tiahuanaco a été adopté par les cultures côtières.

La civilisation de Huari a eu son centre dans une région voisine de celle où s'est formée la nation inca. Son influence a été suffisamment forte pour modifier les traditions locales de ses voisins et introduire dans leur céramique un style d'où, à la suite d'une longue évolution, naîtra l'art décoratif des Incas. Les archéologues assurent avoir découvert dans leurs inventaires de fouilles et dans leurs relevés topographiques, les indices irréfutables d'une transformation politique et sociale des civilisations issues de la période expansionniste. Les gouvernements qui, à l'âge classique, étaient fortement théocratiques (la somme d'énergie consacrée à la construction des sanctuaires le prouverait) se militarisent. Le soldat prend le pas sur le prêtre, conséquence de guerres opposant chacun de ces petits États à ses voisins. Cette laïcisation des institutions se manifeste par le nombre et l'importance des édifices civils et surtout - phénomène nouveau - par la formation de grandes villes bâties selon un plan régulier. Aujourd'hui encore, on distingue nettement les demeures aristocratiques ou les centres d'administration, décorés et spacieux, des quartiers populaires dans lesquels, à l'intérieur d'une haute enceinte rectangulaire, s'entassaient de fragiles maisons. Les ruines de Chanchan, à peu de kilomètres de la ville moderne de Trujillo, bien qu'exposées à un vandalisme odieux, couvrent encore une surface d'environ

Idole de bois (Huaca del Dragon).

dix-sept kilomètres carrés. L'ancienne capitale des Chimus était divisée en quartiers, dont chacun était ceint de murailles massives. Citernes, canaux, terrains de culture et cimetières occupaient les terrains ouverts. La curieuse disposition de cette immense cité, la plus grande sans doute du Nouveau Monde, avant l'arrivée de Colomb, reflète clairement l'organisation sociale des Chimus. Chaque « bloc » correspondait à des clans ou à des lignages. Dans les villes incas, on retrouve de nombreuses caractéristiques de l'urbanisme des Chimus, preuve supplémentaire de l'influence que les peuples civilisés de la côte ont exercée sur ceux des montagnes.

L'accroissement ou la fondation de villes sont deux phénomènes si typiques des siècles qui précèdent la conquête que l'on acceptera volontiers le qualificatif de « période de bâtisseurs de cités » qu'on a proposé pour les désigner. Avec les bâtisseurs de villes, nous entrons dans l'histoire proprement dite. Les principaux États constitués à cette époque ont été subjugués par les souverains incas pendant la seconde moitié du XVe siècle. Si, politiquement, ils appartenaient à l'Empire, ils avaient conservé, au moment de la venue des Espagnols, leur langue, leurs mœurs et leur gouvernement. Le mieux connu d'entre eux est celui des Chimus, qui avait pour centre la vallée de Moche, mais qui étendit sa domination sur tout le nord du Pérou, de la région de Lambayeque ou même de Tumbez, à Lima. Sa langue était encore parlée, il y a quelques années, dans le village d'Eten, près de Chiclayo.

Les Chimus, comme les Mochicas, ont donné tout leur soin à l'irrigation. Leur vie était tellement liée à l'eau qu'il suffit à l'Inca Yupanqui de les menacer de couper leurs canaux pour qu'ils capitulent et s'incorporent à l'Empire inca. La division très tranchée de la société en classes, que suggérait déjà le mobilier funéraire, est confirmée par des documents historiques. Les lourds bastions de la forteresse de Paramonga et les ruines des villes de garnison protégeant le système d'irrigation trahissent les préoccupations d'une société que sa richesse et ses conquêtes exposaient à la cupidité ou à la haine de ses voisins.

La hiérarchie sociale et une extrême division du travail expliquent le rapide développement de l'artisanat. La céramique, par exemple, fabriquée en série par des procédés mécaniques (moules), perd beaucoup de son originalité et de sa vigueur. Les étoffes de coton sont tissées dans de véritables ateliers, en quantités considérables. Cette production massive, presque à l'échelle industrielle, s'accompagnant forcément d'une standardisation du goût, caractérisera la civilisation incaïque.

Cette période nous concerne particulièrement, car elle correspond à peu près à la naissance de l'Empire inca, dont l'archéologie n'a guère contribué jusqu'ici à élucider les origines lointaines. La plus ancienne civilisation connue dans la vallée du Cuzco est celle de Chanapata, un site découvert sur la colline de Carmenca, à la sortie de la ville. L'archéologue américain John H. Rowe y découvrit un pan de mur grossier et quelques tombes de forme ronde ou ovale, contenant des squelettes, sans mobilier funéraire. Les tessons de poterie recueillis à cet endroit sont décorés de motifs géométriques peints, incisés ou polis. Du point de vue stylistique, la céramique de Chanapata évoque vaguement celle de Chavin, mais se rapproche surtout de celle de Chiripa, site antérieur à la période de Tiahuanaco. Toutefois, malgré ces analogies, on n'a pas pu insérer précisément Chanapata dans les périodes définies plus haut. Une chose demeure certaine : entre cette civilisation archaïque et celle des Incas, dont les débuts se situent autour de l'an 1200 de notre ère, il y a solution de continuité. Rien ne permet encore de combler ce vide.

La plus ancienne céramique inca provenant de la célèbre forteresse de Sacsahuaman et du site de K'illke fait piètre figure à côté des spécimens de l'art de Tiahuanaco, dont néanmoins les Incas se sont inspirés. C'est de cette céramique de facture peu soignée, à la polychromie purement géométrique, que dérive directement la céramique inca classique, ou « Cuzco impérial ». Malgré la banalité inhérente à une production en série, les pièces de cette période accusent un progrès sensible.

La céramique inca, avec ses « aryballes », ses plats à bec de canard et ses gobelets, est d'identification facile. Son âge nous étant connu (XIV-XVIe siècles de notre ère), les archéologues l'ont beaucoup utilisée pour leurs datations. On en a découvert de nombreux spécimens, partout où ont pénétré les armées incas et le long de son *limes*. Beaucoup de ces poteries proviennent du voisinage de ruines d'édifices que leur style ou la tradition locale attribuent aux Incas.

Statue géante, Tiahuanaco.

COLOMBIE
Rio Ancas mayo
EQUATEUR
BRESIL
Tumbez
PEROU
Cajamarca
Cupisnique
Trujillo
Chanchan
Moche
Chavin
Recuay
Chancay
Lima
Huancayo
Pachacamac
PACIFIQUE
Machu-Picchu
Ollantaytambo
Huari
Paracas
Cuzco
Pucara
Nazca
Lac Titicaca
La Paz
Tiahuanaco
EMPIRE DES INCAS
BOLIVIE
Cerro de Potosi
CHILI
PAR
ARGENTINE
Rio Maule

Les treize empereurs

Qui étaient les Incas ? D'où venaient-ils ? A ces questions que, par curiosité ou scrupule juridique, leur posèrent les Espagnols, les Indiens répondirent par de longs récits, mi-historiques, mi-légendaires. Peut-être est-ce le moment de nous interroger sur la valeur historique de traditions, souvent très détaillées, que les chroniqueurs espagnols nous disent tenir d'informateurs dignes de foi. Parmi ceux-ci, certains semblent avoir été choisis avec discernement : princes appartenant à l'un des lignages impériaux, annalistes professionnels, savants réputés par leur âge ou leur savoir. Plusieurs de ces récits transcrits par les fonctionnaires coloniaux émanaient des *quipu-kamayoc*, c'est-à-dire des « maîtres des cordelettes à nœuds », les fameux *quipu* dont ces spécialistes se servaient pour la comptabilité du gouvernement. Ces cordelettes nouées faisaient-elles fonction d'écriture ? Les scribes y avaient-ils recours pour enregistrer les événements les plus notables d'un règne ? C'est ce que certains chroniqueurs affirment, bien que, sur ce point, leur témoignage soit douteux. Il est fort improbable, en effet, que la forme des nœuds et leur disposition sur un écheveau de cordelettes aient pu revêtir une signification autre qu'arithmétique. Ces soi-disant annales des rois ne sont peut-être que des données numériques se

te de l'empire des Incas.

rapportant à la durée de leur règne, aux tributs perçus, aux équipes de travailleurs employés à la construction de quelque palais, ou simplement à des recensements de population ou des relevés d'effectifs militaires.

Des chants et des ballades auraient conservé, fort embelli, le souvenir des empereurs et de leurs exploits. Ils étaient chantés ou psalmodiés lors de certaines fêtes, mais principalement aux funérailles d'un Inca. Devant les momies de tous ses prédécesseurs, que l'on sortait sur la grande place du Cuzco, des « serviteurs », prêtres ou bardes de son lignage, faisaient à tour de rôle l'éloge du souverain déifié auquel ils étaient attachés. Ces récitations se terminaient par l'énumération des hauts faits de l'Inca qui venait de mourir. Les témoignages au sujet des poèmes historiques qui conservaient la mémoire des vertus et des exploits des Incas sont trop nombreux et trop précis pour qu'on puisse en faire fi, même s'ils n'étaient pas aussi semblables aux *romances et villancicos* espagnols que l'affirment les chroniqueurs. Ce n'étaient pas, quoi qu'on en ait dit, des poèmes épiques à proprement parler, mais des sortes de ballades, relativement courtes, que l'on retenait sans peine. Pour chaque souverain, il en existait sans doute un grand nombre qui formaient un cycle. Dans l'histoire des Incas, telle que Betanzos et Sarmiento l'ont transcrite d'après des informateurs dont la connaissance du passé dérivait précisément de ces ballades, on retrouve parfois le rythme et le mouvement de ce *romancero* et même des artifices qu'on peut qualifier de « littéraires ». La guerre de Pachacuti contre les Chancas, son accession au trône malgré l'opposition de son père, son triomphe final, événements qui ont un caractère historique, sont présentés à la façon des épisodes d'une chanson de geste. Le récit d'autres règnes contient également des anecdotes dans lesquelles on perçoit l'écho de poèmes perdus à jamais.

Ce fut en 1610 que, pour la dernière fois, on entendit au Cuzco les chants, *harawi*, qui exaltaient la grandeur et les conquêtes des Incas. La béatification d'Ignace de Loyola, que les jésuites avaient voulu célébrer avec éclat, servit de prétexte à quelque trente mille descendants des Incas pour reconstituer les cérémonies et les fêtes de l'Empire défunt. Pour ne pas alarmer les Espagnols, parades, danses, batailles simulées, défilés de la garde impériale se firent sous l'invocation de l'Enfant Jésus « habillé en Inca ».

Selon une tradition recueillie par Sarmiento, l'empereur

Pachacuti aurait réuni dans sa capitale tous les « historiens » des provinces et, après les avoir longuement interrogés, il aurait fait peindre sur des planches les événements les plus remarquables dont ils lui auraient fait le récit. Ces « tableaux historiques » auraient été déposés dans une salle du Temple du Soleil à laquelle seuls l'empereur et les annalistes attitrés auraient eu accès. Les scènes de bataille, de chasse ou de vie de cour qui sont représentées sur les timbales laquées de la période coloniale, mais dont un certain nombre datent de

Queru, *timbale en bois laqué, époque coloniale.*

l'époque incaïque, attestent que les Péruviens possédaient une tradition artistique et des techniques qui rendent plausible l'existence de telles archives, mais la plupart de nos sources anciennes sont muettes à ce sujet. D'autre part, il ne semble pas que les Incas, à l'exemple des Aztèques, aient eu des annales pictographiques.

La plupart des chroniqueurs s'accordent sur les noms et l'ordre de succession des treize empereurs de la dynastie des Incas. Au premier abord, la précision avec laquelle leurs règnes nous sont contés, les anecdotes qu'ils nous rapportent, inspirent la confiance. Nous en retirons le sentiment d'une tradition historique très riche qui se serait transmise intacte pendant plusieurs siècles. A l'examen, cette impression favorable se révèle illusoire. Derrière cette surabondance de détails, souvent insignifiants, les grands événements historiques s'estompent et, en dépit de leur apparente netteté, se réduisent à peu de chose. C'est naturellement pour les époques les plus lointaines que la ligne de partage entre mythe et histoire devient floue. Si, dans l'ensemble, les événements relatés par les chroniques concordent, ils ne sont pas toujours attribués au même souverain. Il n'est pas rare que certains épisodes fassent, en quelque sorte, double emploi et soient narrés sous une forme presque identique à propos de règnes différents. Les listes dynastiques ne coïncident pas toujours, père, fils et petit-fils étant quelquefois confondus.

Pourquoi faire grief aux informateurs indigènes de telles incertitudes ? Ils ont pu être mal compris, n'ayant pas été toujours interrogés avec le soin que Sarmiento et ses acolytes disent avoir apporté à l'enquête à laquelle ils participèrent par ordre du vice-roi Francisco de Toledo. Peu de spécialistes attribuent aujourd'hui un caractère entièrement historique aux règnes antérieurs à celui de Pachacuti (1438-1471), le premier souverain dont les exploits échappent dans une certaine mesure à la légende. Moins d'un siècle sépare la mort de Pachacuti de celle de son arrrière-petit-fils Atahuallpa, étranglé par Pizarro en 1533. Quelque imparfaite que soit la mémoire collective, il est vraisemblable que les faits et gestes des quatre successeurs de Pachacuti relèvent d'une véritable tradition historique, surtout s'il est vrai qu'un corps d'annalistes veillait à ce que le souvenir ne s'en perdît point.

La publication, en 1840 et en 1888, du manuscrit d'un moine espagnol, Montesinos, introduisit quelque confusion dans l'historiographie de l'ancien Pérou. Cet auteur, qui écrit sa chronique entre 1636 et 1642, un siècle donc après la conquête, n'en donne pas moins une liste de quatre-vingt-treize empereurs ayant précédé les Incas pendant une période d'environ quatre mille ans, le Pérou n'étant d'ailleurs, selon lui, que le royaume d'Ophir du roi Salomon. Bien que situés dans ces époques reculées, les rois de la longue chronologie de Montesinos portent des noms quechuas qui sont souvent ceux des souverains historiques du XVe siècle de notre ère. Le silence des chroniqueurs les plus anciens et les plus dignes de foi, le caractère fabuleux de ces annales préhistoriques ont valu à Montesinos une fâcheuse réputation. Beaucoup d'érudits le négligent. Cependant, un mystère subsiste. Ces dynasties préincaïques ne peuvent avoir été inventées de toutes pièces par Montesinos. Celui-ci a probablement utilisé un manuscrit du Père Blas Valera, déposé au couvent des jésuites de La Paz. Or, Blas Valera, fils d'un conquistador et d'une Indienne de Chachapoyas, n'est pas une autorité négligeable. Garcilaso de la Vega l'a abondamment cité, et d'autres chroniqueurs font grand cas de ses manuscrits perdus. Quelques historiens modernes se sont demandé si Montesinos n'avait pas miraculeusement sauvé de l'oubli les noms des monarques de l'empire mégalithique, dont les Incas auraient tardivement recueilli l'héritage. Aujourd'hui, l'hypothèse « mégalithique » a été totalement abandonnée et peu d'anthropologues croient à l'existence de ces royaumes disparus dont les annales auraient survécu dans le souvenir de quelque barde ou « maître des cordelettes ». On a pensé trancher la difficulté en supposant que Montesinos avait mis en ordre chronologique des listes de chefs de lignage ou de roitelets contemporains. Il est possible que l'auteur du manuscrit dont Montesinos s'est servi, ait effectivement procédé de la sorte.

Si, d'un point de vue historique, l'œuvre de Montesinos est de faible valeur, elle n'en est pas moins importante par ce qu'elle nous révèle des conceptions cosmogoniques des Incas. Les dynasties des rois préhistoriques sont réparties en périodes de mille ans, au terme desquelles surgissent des cataclysmes. Comme chez les Mayas et les Aztèques, à chacun de ces quatre millénaires correspond un « Soleil », et une humanité différente dont le nom nous est fourni par d'autres chroniqueurs. Le premier âge fut celui des *Wari-Viracocha-runa*, des hommes du dieu Viracocha ; le second des *Wari-runa*, les hommes sacrés ; le troisième des *Purun-runa*, ou hommes sauvages, et le quatrième des *Auka-runa*, des guerriers.

Ces quatre âges sont séparés par des cataclysmes. La fin du premier, annoncée par des présages sinistres, fut marquée par des catastrophes telles que pestilences et guerres qui dépeuplèrent le monde. Les objets se rebellèrent contre leurs maîtres. Nous retrouvons ici un épisode mythique figuré sur une fresque de l'époque mochica.

A l'issue de la seconde époque, « le soleil se fatigua de sa marche et refusa pendant vingt heures sa lumière aux mortels. Les Indiens criaient, appelant leur père le Soleil. Ils firent de grands sacrifices... ». Sans doute l'humanité fut-elle consumée par le feu céleste.

Le troisième âge se termina par le déluge. La fin du quatrième ne correspond à aucun bouleversement cosmique. Les hommes, devenus mous et efféminés, se livrèrent à la sodomie. Ils furent régénérés par le fondateur de la dynastie des Incas qui inaugura le cinquième « Soleil ».

Montesinos, ou plus exactement Blas Valera qu'il a suivi, n'a malheureusement pas compris le caractère purement mythique des événements qui lui furent rapportés. Dans le cadre d'une cosmogonie, il a introduit des noms de souverains de fantaisie, doublets de ceux des Incas auxquels ont été ajoutées des épithètes variées. Pour la bonne mesure, des noms d'animaux et de localités complètent cette liste.

Dans les textes que les autres chroniqueurs nous ont laissés sur les temps préincaïques, on ne trouve qu'un écho affaibli de cette mythologie. Pour exalter les Incas, les informateurs indigènes se sont plu à décrire cet âge sous les traits les plus sombres. Les hommes, habitants des cavernes, y étaient alors des sauvages, des cannibales voués à tous les vices. La guerre était l'élément naturel de cette société qu'il incombait aux Incas de civiliser. Dans ce tableau fantaisiste de l'humanité préincaïque, on note plus d'un détail suggéré par la vie des tribus de la grande forêt amazonienne, dont le domaine commençait près du Cuzco et qu'Incas et Espagnols méprisaient si fort. Les luttes intestines des tribus montagnardes avant qu'elles ne fussent pacifiées et incorporées à l'Empire ne sont pas étrangères non plus à l'idée que l'aristocratie du Cuzco s'était faite de ces temps lointains.

Revenons aux traditions classiques et cherchons à en dégager ce qui peut éclairer l'origine des Incas. Les *ayllu*, lignages qui constituaient les multiples communautés agraires de l'ancien Pérou, se prétendaient issues d'un lac, d'un rocher ou d'une caverne, leur *pakarina*, auxquels ils rendaient un culte. Quatre siècles de christianisme n'ont pas fait oublier aux Indiens modernes le souvenir de ces sites. Les Incas plaçaient leur lieu d'origine à *Paccari-tambo*, à vingt-cinq kilomètres au sud-est du Cuzco. Leurs lignages seraient sortis de « trois fenêtres », sans doute trois cavernes. Celle du milieu avait livré passage à quatre frères, Ayar Manco, Ayar Cachi, Ayar Uchu et Ayar Auca, et à leurs sœurs qui étaient également leurs épouses. Suivis de dix lignages, sortis des cavernes latérales, les frères Ayar se dirigèrent vers la vallée du Cuzco, s'arrêtant en cours de route pendant un an ou deux. A chaque halte, ils fondaient un village. Manco Ayar, plus connu sous le nom de Manco Capac, réussit par différentes ruses à se débarrasser de ses frères. L'un de ceux-ci, métamorphosé en pierre, devint l'idole Huanacauri qui, à l'époque impériale, présidait aux rites d'initiation des jeunes nobles. Resté seul chef de la migration, Manco s'arrêta dans la vallée du Cuzco, là où une baguette d'or, qu'il lançait de temps à autre pour connaître la nature du sol, s'enfonça profondément dans la terre. Il construisit une hutte au toit de chaume à l'endroit du futur Temple du Soleil, le palais d'or. Les communautés de la région n'accueillirent pas de bon gré les envahisseurs mais, devant la vigoureuse résistance de Manco Capac, ils renoncèrent à les chasser.

Le souvenir d'anciennes migrations s'est combiné dans ce récit à des mythes expliquant l'origine de sanctuaires nationaux. Les Ayars sont des dieux ou des démons. L'un d'eux, Ayar Cachi, « était si habile dans le maniement de la fronde, qu'avec chaque pierre qu'il lançait, il renversait une montagne et faisait une vallée. C'est pourquoi on assure que les défilés qu'il y a dans cette région qu'ils parcoururent ont été faits par Ayar Cachi à coups de pierre ». Ayar Auca était un génie ailé qui, comme ses frères, se métamorphosa en idole de pierre.

Manco Capac appartient à cette vaste catégorie de personnages mythiques que toutes les tribus indiennes des Amériques placent à l'aurore de leur histoire. A la fois dieu, héros, grand ancêtre, ils sont aussi des civilisateurs. C'est d'ailleurs sous les traits d'un héros civilisateur que Garcilaso de la Vega, dans une autre version du même mythe, nous dépeint Manco Capac, fils du Soleil, qui, venu des bords du lac Titicaca, prit possession de la vallée du Cuzco afin d'enseigner aux hommes encore sauvages les bienfaits d'une vie policée.

Manco Capac, à l'instar de ses frères, fut transformé en statue et devint une idole.

Dans le nom du successeur de Manco Capac, Sinchi-Rocca, nous trouvons le substantif *sinchi*, qui désignait les anciens chefs de guerre. Ce détail est significatif, car les six ou sept premiers Incas ne furent tout au plus que des *sinchi* organisant des raids de pillage contre leurs voisins ou se défendant de ceux-ci. Ces obscures escarmouches, ces successions de vendettas n'aboutirent à aucune conquête. C'est sous le règne de Yahuar Huacac, dans la seconde moitié du XIVe siècle, que les Incas, grâce à deux habiles généraux, cousins ou frères de l'empereur, s'imposèrent aux peuples de la vallée du Cuzco. Sous l'empereur suivant, Viracocha, l'État inca fut suffisamment fort pour intervenir dans les querelles entre deux royaumes importants.

Une catastrophe qui faillit détruire à jamais la puissance naissante des Incas est à l'origine de la glorieuse carrière de Pachacuti et de la série de conquêtes qui allaient faire d'un petit État rural un grand empire. Au nord, les Incas avaient pour voisins immédiats les Quechuas, auxquels les unissaient la langue et sans doute aussi le genre de vie. Au-delà, tandis que s'affermissait l'État inca, la confédération des tribus chancas se formait de manière analogue. Leur territoire correspondait en gros à celui des départements de Huancavelica, Ayacucho et Apurimac, soit l'aire comprise entre le rio Pampas et le Mantaro. Les descendants modernes des Chancas ne se distinguent pas aujourd'hui des autres Indiens andins. Nous ignorons leur affiliation linguistique : il semblerait cependant qu'une de leurs tribus, celle des Soras, parlait un dialecte aymara.

Nous sommes mal informés de l'État chanca, autrefois si redouté. Il comportait `deux subdivisions, nous dirions « moitiés », dont chacune était pourvue d'un chef différent et combattait protégée par l'image de son ancêtre divin.

Dans les débuts du XVe siècle, la confédération chanca, fière de son organisation militaire, s'engagea dans une série de guerres de conquête. Même en écartant la tradition selon laquelle ces Indiens se seraient opposés aux Chiriguanos dans le sud de la Bolivie, il n'en reste pas moins que la volonté d'expansion qui les animait, si elle n'avait été brisée par Yupanqui-Pachacuti, aurait fait d'eux les fondateurs d'un véritable empire.

Les Chancas inquiétèrent les Incas du jour où ils détruisirent les Quechuas, leurs alliés et leur rempart sur la frontière occidentale. Les Incas s'avisèrent du danger de ce voisinage et se cherchèrent des alliances. Les Chancas envahirent le domaine de leurs voisins dans les dernières années du règne de l'empereur Viracocha. Le souverain, affaibli par son âge, jugea la résistance impossible. Accompagné de son jeune fils Urco auquel, contrairement à la coutume, il avait décidé de léguer le pouvoir, il se réfugia dans une forteresse, sise au-dessus du village de Calca.

Alors un autre de ses fils, l'Inca Yupanqui, le futur Pachacuti, secondé de deux généraux, Vicaquirao et Apo-mayta, ainsi que d'une poignée de nobles, entreprit de défendre le Cuzco. Sans appui de son père et presque sans armée, Yupanqui ne fut que médiocrement soutenu par les communautés de la vallée auxquelles il avait demandé des contingents. Les Chancas, qui s'étaient avancés jusqu'au Cuzco sans rencontrer de résistance, furent néanmoins battus et leur chef tué. Cette victoire inattendue fut attribuée par la légende à une armée miraculeuse que le Créateur aurait suscitée du sol en transformant des pierres en guerriers. Ces auxiliaires surnaturels, redevenus simples rochers, formèrent une catégorie spéciale de dieux, les *pururauka*. L'Inca Viracocha, loin de se réjouir du triomphe de son fils, en conçut du dépit et aurait cherché à le tuer, de crainte que sa gloire n'empêchât l'accession au trône de son fils favori, l'Inca Urco. Yupanqui, malgré les scrupules que lui prêtent les chroniques, se fit proclamer empereur du vivant de son père sous le nom de Pachacuti, le « transformateur ». Ses seuls rivaux redoutables étaient les Collas, du bassin du Titicaca. Leurs descendants, les Indiens aymaras, sont d'ailleurs réputés pour leur esprit martial et leur courage. Avant la réforme agraire de 1953 qui mit fin au régime des haciendas, leurs rébellions étaient fréquentes. Munis de leurs seules frondes, ils n'hésitaient pas à se mesurer avec les troupes gouvernementales. Ce sont eux qui, dans une large mesure, assurèrent le triomphe du parti révolutionnaire de Paz Estenssoro, l'actuel président de la Bolivie, et qui l'ont aidé à écraser plusieurs pronunciamentos qui auraient signifié un retour au passé. A l'époque de Pachacuti, les Aymaras ou Collas, descendants sans doute des constructeurs de Tiahuanaco, se divisaient en plusieurs petites chefferies qui cherchaient à dominer toute la région et étaient en état de guerre endémique, mais seul ce souverain réussit à les

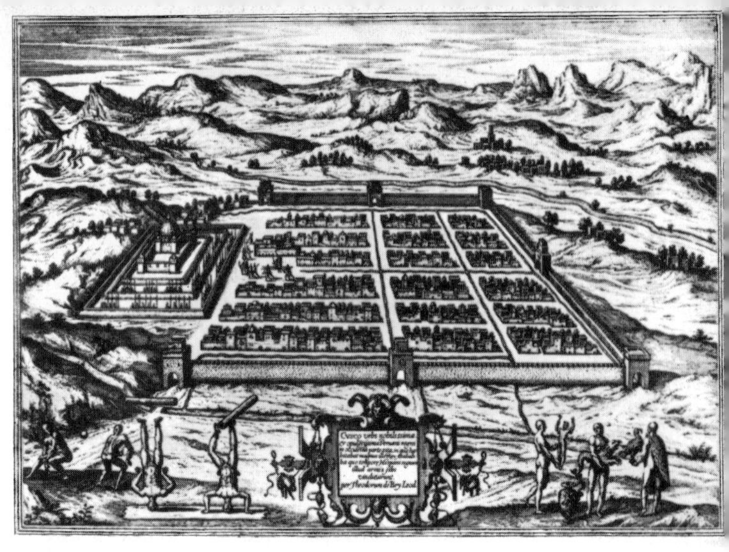

Plan du Cuzco.

écraser. Après sa victoire sur le plus puissant des *Sinchi* aymara, la conquête de la région du Titicaca ne fut plus qu'une promenade militaire. Du Collao, l'Inca se dirigea vers Arequipa et soumit au tribut toutes les communautés indigènes jusqu'à la mer.

Une armée conduite par Capac-Yupanqui, frère de l'Inca, fut envoyée vers le nord. Elle comportait un fort contingent de troupes des Chancas qui, sous les ordres d'un de leurs chefs, combattit courageusement et loyalement pour les Incas. Leur succès militaire inquiéta même l'empereur qui ordonna de les exterminer, mais les Chancas, avertis, s'enfuirent à l'est de la région de Jauja, jusqu'à Cajamarca. A propos de cette avance victorieuse, la tradition rapporte qu'à son retour, le général fut exécuté sur ordre de Pachacuti pour avoir dépassé les limites assignées à son expédition. Apocryphe ou non, l'anecdote est révélatrice du prix que les Incas attachaient à la discipline.

Ce sont moins ses conquêtes que les travaux entrepris sous son règne, ainsi que les mesures législatives et administratives de toutes sortes qu'il aurait inspirées, qui font de Pachacuti le plus grand des Incas. La tradition lui attribue la construction de tant de palais, de forteresses et de temples et la promulgation de tant de sages décrets que Pachacuti, personnage

Machu-Picchu

historique, a fini par s'effacer derrière l'image du héros mythique. Après sa victoire sur les Chancas, il aurait reconstruit le Cuzco selon un plan grandiose. Le Temple du Soleil qui, comme celui de Salomon, symbolisa la puissance et la richesse des Incas, aurait été rebâti par lui.

Après plus de trente ans d'un règne où il avait mené de front de nombreuses guerres, la construction d'une capitale et l'organisation d'un État, Pachacuti remit le pouvoir à son fils Topa Inca Yupanqui, vers l'année 1471. L'austère Sarmiento, compilateur obstiné de traditions historiques, nous donne la traduction d'un court poème que le grand Pachacuti aurait récité « sur un ton triste et bas avant de rendre l'âme » :

> Je suis né tel le lis dans un jardin,
> C'est ainsi que j'ai été élevé,
> Quand l'âge vint, j'ai vieilli,
> Quand je dus mourir, je me flétris et je mourus.

Topa-Yupanqui fut digne de son père. Il étendit l'Empire vers le nord et lui annexa la plus grande partie du territoire actuel de la république de l'Équateur. Pendant cette campagne, il subjugua les redoutables Cañaris qui fournirent par la suite aux Incas un corps d'élite que l'on a comparé aux gardes suisses. Après la conquête, les Cañaris, passés aux Espagnols, les aidèrent à combattre leurs anciens maîtres.

Topa-Yupanqui obtint sans trop de peine la soumission du royaume des Chimus et, du même coup, s'empara de toute la côte jusqu'à Lima. Une tradition légendaire attribue à Topa-Yupanqui une expédition maritime vers des îles qui auraient été habitées par des hommes noirs. Cela suffit pour qu'on vît en lui le découvreur de la Mélanésie. C'est cependant mal connaître le Pacifique que d'imaginer une armée indienne traversant l'océan en radeau et revenant, contre vents et courants, à son port d'attache. Les Espagnols, ainsi que des historiens modernes, ont identifié les mystérieuses îles conquises par Topa-Yupanqui aux Galapagos, bien que cet archipel fût inhabité au moment de sa découverte en 1535. Des tessons de poterie que Thor Heyerdahl y a recueillis, indiqueraient pourtant, sinon une occupation, du moins des séjours sporadiques d'Indiens de la côte, mais la taille exiguë des fragments retrouvés et le caractère peu spécifique de leur ornementation desservent cette hypothèse.

Une expédition de Topa-Yupanqui, la plus lointaine et la plus audacieuse de ses campagnes, l'amena au Chili où, malgré l'opposition des redoutables guerriers araucans, il pénétra jusqu'au rio Maule dont il fit la frontière méridionale de l'Empire. Cette campagne fut la dernière de l'empereur. Il mourut en 1493, une année après la découverte de l'Amérique. En dehors de ses conquêtes, un des plus grands titres de gloire de Topa-Yupanqui est la construction de la forteresse de Sacsahuaman.

Le successeur de Topa-Yupanqui fut Huayna-Capac, « le jeune chef riche en vertus ». Sa carrière fut moins brillante que celle de son père. Si ses conquêtes ne rivalisèrent point avec celles de ses prédécesseurs, c'est moins faute d'ambition ou de génie militaire que de mondes à conquérir. Les forêts de l'Auraucanie, à des milliers de kilomètres du Cuzco, et celles de l'Amazonie, sur les versants orientaux des Andes, formaient deux barrières que les montagnards ne se souciaient guère de franchir.

Huayna-Capac eut aussi à écraser quelques révoltes. L'une, dans la région de Quito, l'entraîna dans une guerre contre plusieurs tribus belliqueuses sur les confins de l'Équateur et de la Colombie. Après de sanglantes batailles, Huayna-Capac porta la limite septentrionale de l'Empire au rio Ancasmayo, affluent du Guaitare en Colombie. Il entreprit encore une expédition contre les peuples de la côte de l'Équateur, dont il revint avec un butin de turquoises.

Huayna-Capac mourut en 1527 ou 1528, à peu près au moment où Pizarro débarquait pour la première fois à Tumbez. Un émissaire de l'empereur aurait même dîné à son bord. Les derniers jours de Huayna-Capac auraient été assombris par les nouvelles qu'il reçut de ces mystérieux étrangers. Si l'on en croit la tradition, il aurait pressenti la fin prochaine de sa dynastie et de son royaume.

Lors du troisième voyage de Pizarro, en 1531, le Pérou était en proie à la guerre civile. Le fils préféré de Huayna-Capac, Atahuallpa, avec l'appui des généraux de son père, s'était emparé du nord du pays et avait réussi à battre les armées de son demi-frère, Huascar, qui avait été officiellement couronné empereur au Cuzco. Pendant que Pizarro guerroyait contre les habitants de l'île de Puna, dans le golfe de Guayaquil, et ensuite contre les gens de Tumbez, Atahuallpa triomphait de son rival Huascar. A la tête d'une armée, il s'avançait vers la capitale, dont un de ses généraux,

Quizquiz, s'était rendu maître après une bataille décisive devant le Cuzco où l'empereur Huascar avait été capturé. Atahuallpa, à qui cette victoire assurait la couronne, campait avec une partie de son armée dans la plaine de Cajamarca. Pizarro était au courant de ces événements. S'il semble avoir eu l'intention de soutenir Huascar contre Atahuallpa, il renonça à ce projet quand il apprit qu'Atahuallpa s'était assuré du pouvoir. Du coup, il fut pour lui le *señor natural*, le souverain légitime du royaume avec lequel devait se jouer la grande partie qu'il méditait. Il décida hardiment de se rendre auprès d'Atahuallpa qui, en proie à l'incertitude, lui envoyait tantôt des menaces tantôt des gages d'amitié. Les Espagnols suivirent en direction du sud la grande route du littoral dont ils admirèrent la construction. Ils s'enfoncèrent ensuite dans les montagnes, qu'ils escaladèrent par des sentiers escarpés et étroits où il eût été facile de les arrêter. A leur grande surprise, ils ne rencontrèrent cependant aucun obstacle. Le 15 novembre 1532, ils arrivèrent à Cajamarca. Le soir même, le frère de Pizarro, Fernando, fut envoyé en ambassade auprès d'Atahuallpa, qui promit de rendre la visite aux Espagnols, qui s'étaient installés dans les édifices publics autour de la grande place de Cajamarca.

Aucun épisode de la conquête du Nouveau Monde n'égale en puissance dramatique la chute soudaine et brutale de l'Empire inca. Le récit que les Français de 1534 ont lu dans la feuille dont il a été question plus haut est si sobre et précis (il ne saurait en aller autrement puisqu'il démarque une lettre aujourd'hui perdue de Francisco Pizarro) qu'il mérite d'être cité à l'intention des Français de notre temps. Les événements qu'il décrit sont ceux du 16 novembre : « Le mesme jour Atabalica adressa son chemin pour venir à la cité de Caxalmaca et y arriva sur le soir, lequel estant dans une litière toute garnie de fin or vint voir le gouverneur et le portoient plusieurs Caciques. Il y avoit au devant de lui plusieurs Indiens qui nettoient le chemin, ja soit qu'il fût assez net et qu'il n'y eût rien à nettoyer. Après il en y avoit d'aultres plusieurs desquels les uns chantoient et les aultres dansoient : tout alentour de luy y avait grand nombre d'Indiens qu'ils nomment Gandules que estoient pour sa garde portant les uns des haches d'armes, les aultres des hallebardes faites d'argent et de grosses massues pendues à leurs ceinctures. ... Le gouverneur voyant que Atabalica venoit à la cité, il fit mettre tous ses gens en ordre tant de pied que à cheval et en fit deux parties : après ce faict il envoya un beau père de l'ordre de Saint Dominique lequel se nommoit Vincent pour parler au dict Atabalica : lequel beau père luy parla et portoit en ses mains un livre où estoyent les Evangiles et dit à Atabalica que les choses qui estoient écrites en ce livre c'étoit ce que Dieu leur commandoit de faire. Adonc Atabalica lui dit qu'il lui montrât le livre : laquelle chose il fit et incontinent qu'il l'eut entre ses mains il le jetta en terre. Le dict beau père le releva de terre et s'en retourna vers le gouverneur criant à haute voix et disant qu'il falloit exaulcer la foi de Jesus Christ. Ce ouï le gouverneur sortit tout armé tenant une épée et une rondelle en ses mains et à pied et avec lui tous les gens qu'il avoit tant de pied que à cheval. Arrivé le gouverneur où le dict Atabalica étoit lui mit la main dessus et le jeta hors de là où il étoit et les aultres chrétiens commencèrent à mettre à mort tous ceux qui le portoyent et vont d'un grand courage donner dedans le bataillon des Indiens où ils mirent à mort grand nombre d'eux et dura la bataille depuis vêpres jusques à ce qu'il fut nuict où ils prirent plusieurs des principaulx des Indiens. La dépouille d'eulx qui fut alors prise est estimée quarante mille castilles d'or et trente mille marcs d'argent et en eussions eu davantage toute la nuict. Le dict Atabalica se voyant prisonnier et craignant d'estre mis a mort promit aux Chrétiens de leur donner une .maison pleine d'or de vingt piedz de hauteur et dix huit de largeur, laquelle chose fut faicte comme l'avoit promis et monte en somme tout l'or qui étoit en cette maison comme d'aultre que il y fit mettre trois millions de castilles et derechief donna si grande quantité d'argent que ne le sauroit nombrer, de laquelle somme il en appartient à Votre Majesté de votre droit trois cent mille pesos de bon or vaillant ung chascun de ces pesos quatre cents mille pesos et cinquante maravediz de laquelle somme vous porte a cest heure Fernando Pizarro cent cinquante mille pesos d'or et cinq mille marcs d'argent : il ne vous en apporte point davantage pour ce qu'il n'a point navires en quoi il le puisse porter. C'est une chose miraculeuse a ouyr dire pour ce que en partissant ce trésor il advint à chascun homme de cheval pour sa part dix mille castilles d'or et trois cents et cinquante marcs d'argent et à chascun homme de pied cinq mille castillans d'or et deux cents soixante cinq marcs d'argent. »

L'attitude d'Atahuallpa est restée jusqu'à ce jour une énigme. Pourquoi a-t-il permis à une poignée d'Espagnols de traverser son pays en y commettant toutes sortes de déprédations et par quelle aberration s'est-il laissé prendre au piège grossier qui lui a été tendu ? Peut-être nous expliquerons-nous son comportement en nous plaçant du point de vue des Indiens.

Tout d'abord, il convient d'écarter l'hypothèse selon laquelle Atahuallpa aurait regardé ses étranges visiteurs comme des dieux ou même des surhommes. Les chevaux, les arquebuses et l'écriture l'avaient certes fortement impressionné, mais il avait appris que les Espagnols étaient vulnérables. Ses espions lui avaient assuré que les chevaux dessellés n'étaient aucunement dangereux et que les arquebuses se chargeaient lentement. Les barbus, dont l'apparence plus que toute chose excitait sa curiosité, étaient des êtres mortels auxquels on pouvait se mesurer. Ce qui aurait préoccupé et désorienté Atahuallpa, c'est le rôle qu'ils avaient assumé dans la guerre civile qui l'opposait à son frère. Les Espagnols, déposant ses gouverneurs, favorisaient donc son rival, mais, parallèlement, ils proclamaient leur respect de l'empereur et leur désir de le connaître. C'est sans doute dans l'espoir de les gagner à sa cause qu'Atahuallpa laissa venir auprès de lui ce petit groupe d'hommes qu'il croyait pouvoir anéantir aisément si besoin en était. Sa principale erreur fut de se rendre sur la place de Cajamarca. S'il n'y arriva qu'au soir, alors que Pizarro l'attendait à midi, c'est qu'il supposait qu'après le coucher du soleil les chevaux, qui constituaient la principale supériorité des blancs seraient alors inutilisables. Comme beaucoup d'Indiens, Atahuallpa ne semble pas s'être douté que les Espagnols avec lesquels il était entré en contact ne représentaient qu'une avant-garde. Il ne les imaginait guère recevant des renforts venus de la mer car, jusque-là, les peuples côtiers avaient tous été réduits à leurs propres ressources et avaient tous été impuissants devant les empires de la Sierra.

Sa seconde erreur fut d'espérer apaiser les Espagnols en leur donnant de l'or. Peut-être comprit-il trop tard qu'il ne faisait qu'exciter leur cupidité. Ayant tiré tout le parti possible de la personne d'Atahuallpa, Pizarro le fit tuer, lui accordant en échange de sa conversion in extremis, le privilège de n'être point brûlé vif, mais étranglé. La raison de cet assassinat n'est pas claire. Pizarro craignit-il réellement un soulèvement en faveur de son prisonnier ; le jugeait-il trop orgueilleux pour en faire un souverain fantoche ; céda-t-il uniquement aux exigences d'Almagro, qui voulait se débarrasser d'un otage appartenant exclusivement à son associé et rival ? Pizarro, après avoir fait exécuter Atahuallpa, accusé « d'usurpation, de fratricide, d'idolâtrie, de polygamie et de rébellion », porta son deuil et affecta du chagrin.

La désintégration de l'Empire après la mort d'Atahuallpa met en évidence la faiblesse de l'État inca, et sa rigidité. Il suffit de la disparition de son chef pour que la machine administrative cesse de fonctionner ou fonctionne à vide.

La défaite infligée à l'armée d'Atahuallpa et le massacre qui s'ensuivit semèrent la terreur chez les Indiens. Pendant longtemps, capitaines et soldats furent frappés de paralysie. Beaucoup, plutôt que de lutter contre les Espagnols, jugèrent plus prudent de s'engager sous leur bannière. Quand les Espagnols quittèrent Cajamarca pour faire leur entrée au Cuzco, ils étaient accompagnés par une armée de serviteurs et d'auxiliaires. Ils emmenaient aussi avec eux un frère d'Atahuallpa, le jeune Tupac-Huallpa, dont ils avaient fait un empereur dans l'espoir de se concilier les Indiens. Tupac-Huallpa mourut en cours de route, empoisonné, dit-on, par le général Challicuchima qui espérait secouer le joug espagnol. Dénoncé, ce vieux guerrier fut brûlé vif. Le drame de Cajamarca marque bien la fin de l'Empire inca en dépit des violents soubresauts qui devaient encore agiter ce corps décapité.

En moins d'un siècle, l'Empire inca, à la suite de guerres incessantes, s'est étendu sur une superficie de 611 420 km^2, territoire correspondant à peu près à ceux des Pays-Bas, de la France, de la Suisse et de l'Italie. D'autres conquérants, certes, se sont en moins de temps taillé de plus vastes empires ; mais, lorsqu'au pas lent d'une mule on parcourt les plateaux andins le long du lit desséché d'un torrent ou à travers les interminables déserts de la côte, on est émerveillé de l'énergie déployée par les trois grands souverains qui franchirent tous ces obstacles avec leurs armées, passant presque sans transition des cols neigeux aux vallées tropicales, supportant la soif et la faim pour soumettre des populations sur lesquelles ils ne l'emportaient que par leur discipline. Comment expliquer cette soif de conquête ? A quels motifs répondait cet impérialisme ? Pour Garcilaso de la Vega et d'autres chroniqueurs, les Incas, comme les Européens, n'avaient pour but que d'étendre aux pays conquis les bienfaits de leur civilisation et le culte supérieur de leur Dieu. Ce zèle pour la civilisation et la religion rappelle trop les raisons par lesquelles les Espagnols justifièrent leur propre action pour ne pas paraître suspect. Certains chroniqueurs, Garcilaso au premier chef, dans leur désir d'exalter les Incas, leur ont généreusement prêté des mobiles réputés nobles et élevés. Mais à cette expansion on peut trouver sans aucun doute d'autres causes que la poursuite d'un idéal et le souci du bonheur des hommes.

Tout d'abord, une conquête en entraînait une autre. Plus d'une fois, les souverains incas furent obligés de passer à l'offensive pour s'assurer la possession d'une région récemment annexée, contre des tribus voisines inquiètes du succès des armées péruviennes. De surcroît, les armées aguerries par des campagnes successives ne pouvaient, sans risque de perdre leur ardeur, rester oisives. Plusieurs expéditions, à en croire les chroniques, furent entreprises dans le seul but de tenir la troupe en haleine.

Les généraux, pour la plupart des Incas, proches parents de l'empereur, étaient favorables à une politique expansionniste qui leur apportait gloire et richesse. Guerre et religion étaient les deux voies ouvertes aux ambitieux dans cette société aux cadres rigides. Plus d'un *curaca* qui n'était pas d'un lignage impérial a dû sa fortune à son courage ou à ses talents de stratège.

A défaut de témoignages précis, le caractère de la civilisation inca nous autorise à émettre des hypothèses quant à la nature de cet impérialisme dévorant. D'abord, sur le plan psychologique : les Incas, chefs de tribus guerrières, étaient habitués à se défendre contre les raids de leurs voisins et à piller quand l'occasion s'en présentait. L'ambition, la vanité et des rivalités personnelles ont pu jouer un rôle dans la politique agressive des Incas à ses débuts. La guerre serait devenue une sorte d'idéal auquel ils se seraient conformés par souci de leur prestige et de leur dignité. Quand, après la victoire sur les Chancas, Pachacuti se vit à la tête de grandes ressources en hommes, la tentation a dû être forte de régler, sans trop de risques, leur compte à d'anciens rivaux. Chaque conquête accroissait la richesse de l'État en terres et en tributs. Pour des souverains qui étaient d'obstinés bâtisseurs, l'annexion d'une province signifiait aussi des ressources nouvelles en ouvriers et soldats. A mesure que le nombre des fonctionnaires nécessaires au gouvernement de l'Empire augmentait, l'empereur devait disposer de domaines nouveaux afin de pouvoir les distribuer à titre de gratification à ses dignitaires et à ses officiers, ou pour en tirer les produits destinés à l'entretien de sa bureaucratie. De plus, il lui fallait des matières premières : or, argent, plumes d'oiseaux tropicaux, pour les artisans qui travaillaient à la cour ou auprès des gouverneurs provinciaux. Si, comme nous le verrons, le tribut consistait principalement en services personnels, il comportait également des produits jugés précieux ou indispensables à l'économie inca.

Afin d'assurer la paix de leur Empire, les Incas furent parfois obligés de guerroyer au-delà des frontières atteintes par leurs prédécesseurs ou par eux-mêmes. Les révoltes, fréquentes, étaient souvent fomentées avec la complicité de tribus encore indépendantes. Enfin, bien que cela ne soit qu'une hypothèse, on peut mettre au nombre des avantages que les Incas retiraient de la guerre, la possibilité qu'elle leur donnait d'enlever des Indiens à leurs communautés pour en faire des *yana*, domestiques ou tenanciers de l'empereur et des grands. La civilisation inca n'a cependant jamais connu l'esclavage à proprement parler, même si la condition des *yanacona* s'en rapprochait.

Les armées se recrutaient exactement comme les équipes de travailleurs. Les effectifs levés dans les provinces étaient calculés sur la base de la population adulte. L'ordre décimal auquel se conformait l'administration était observé dans la division des troupes et dans le système hiérarchique. La discipline était stricte. Atahuallpa ordonna la mise à mort de tous les Indiens qui, le soir de la visite de Fernando Pizarro, n'avaient pu surmonter la peur que leur inspiraient les chevaux qu'ils voyaient pour la première fois. Les maraudeurs étaient impitoyablement punis et les Espagnols, qui pillaient à qui mieux mieux, s'étonnèrent de ce que, dans l'armée de leurs adversaires, le vol, même d'un épi de maïs, fût sévèrement réprimé. Le ravitaillement de ces grandes armées s'opérait sans trop de difficultés, grâce aux magasins de l'État distribués le long des routes. On y trouvait non seulement des vivres en abondance, mais des pièces d'équipement telles que sandales, vêtements et armes.

Les guerriers se groupaient selon leur arme. Les contingents des provinces jugées les plus loyales se tenaient le plus près de l'empereur pendant la marche et les combats. Comme armes de jet, les soldats de l'Inca disposaient de la fronde, du

Magasins de l'Inca — Incahuasi.

propulseur à dards et des *bola,* trois boules en pierre réunies par des tendons. Cette arme, particulièrement utile aux chasseurs, se révéla efficace contre la cavalerie espagnole. L'arc et la flèche n'étaient pas en usage chez les montagnards ; par contre, les auxiliaires venus des « terres chaudes » de l'Amazonie en étaient pourvus. Pour le corps à corps, les guerriers usaient d'épées en bois aux bords effilés, de massues dont la tête, en pierre ou en métal, se hérissait de pointes, de hallebardes en bronze et de piques. Les soldats incas se protégeaient à l'aide de boucliers carrés ou ronds, de casques et de tuniques en étoffe rembourrées de coton. Ces armures furent jugées si adéquates par les Espagnols qu'ils les adoptèrent pour combattre les Indiens. Dans leurs conquêtes, les Incas auraient fait preuve d'une modération et d'une sagesse exemplaires. Avant de partir en guerre, l'Inca n'aurait jamais manqué d'envoyer une ambassade aux chefs de la nation ou de la tribu qu'il s'apprêtait à subjuguer, pour les inviter « au nom du Soleil, à reconnaître son autorité, leur promettant de les traiter avec honneur et de les combler de présents ». Ces promesses, auxquelles s'ajoutaient de terribles menaces contre les obstinés, aboutirent souvent à la soumission de provinces entières sans qu'une goutte de sang fût versée. On ne saurait mettre en doute sur ce point les témoignages unanimes des chroniqueurs espagnols, car un document administratif sans caractère littéraire le confirme. Quand les fonctionnaires espagnols recueillirent, dans la vallée de Chincha, des renseignements sur la domination des Incas, les indigènes leur dirent qu'il y avait « cent cinquante ans, un Inca était venu qui les conquit de la manière suivante : il disait être fils du Soleil, venu pour leur bien et celui de tout le monde. Il ne voulait ni argent, ni or, ni filles, ni rien de ce qu'ils possédaient, parce qu'il avait tout cela en abondance et qu'il en apportait pour le leur donner. Il leur dit de le reconnaître pour seigneur et leur distribua des vêtements et des bijoux en or et beaucoup d'autres choses dont ils manquaient. Les *curaca* de la région se réunirent et l'accueillirent comme seigneur et protecteur en raison du bon traitement qu'il leur fit ».

Si les Incas avaient beau préférer la diplomatie et la douceur à la violence, ils ne s'en montraient pas moins féroces lorsqu'on leur résistait. L'histoire de leurs conquêtes abonde en épisodes sanglants. Des tribus entières étaient massacrées et les survivants déportés.

Au retour d'une expédition victorieuse, l'Inca célébrait son triomphe. Ses soldats entraient au Cuzco brandissant à la pointe de leurs piques les têtes des vaincus. Ceux qui avaient excité le courroux de l'empereur étaient écorchés et transformés en tambours « qui conservaient forme humaine si bien que le mort semblait battre son propre ventre avec des baguettes placées dans ses mains ou jouer de la flûte ». Des crânes, on faisait des coupes pour boire la *chicha*. Un conquistador avait trouvé à Cajamarca un crâne fourré d'or et pourvu d'un petit tuyau également en or. Pizarro ayant demandé à Atahuallpa à quoi servait cet objet, l'empereur lui répondit : « C'est la tête de l'un de mes frères qui me combattait et qui s'était vanté de boire de la bière de maïs dans ma tête. Je l'ai fait tuer et c'est moi qui bois dans son crâne. » Il ordonna de le remplir de *chicha* et le but devant tout le monde. Des dents des ennemis on faisait des colliers. En 1616, les descendants des Incas, qui reconstituèrent pour la gloire d'Ignace de Loyola des épisodes de leurs anciennes guerres, exhibèrent un collier « fait des dents que leurs ancêtres avaient arrachées aux capitaines des nations conquises ».

La paysannerie andine

La puissance des Incas reposait sur le travail et l'union de peuples qui, bien que différents par la langue et le genre de vie, participaient à un type de civilisation sensiblement uniforme. L'Empire était une mosaïque de nations et de tribus parmi lesquelles on trouvait d'anciens royaumes, tel celui des Chimus, des confédérations de tribus et des groupes isolés et primitifs.

Lorsque les Incas décrivirent aux Espagnols, curieux de leur passé, l'état chaotique des sociétés que leurs ancêtres avaient su fondre en un seul État, ils songeaient sans doute aux petites communautés rurales des vallées andines, les *ayllu*, qui, à leur époque, jouissaient encore d'une certaine autonomie et constituaient, en fait, les cellules véritables de l'Empire. Les familles composant un *ayllu* se réclamaient d'un ancêtre commun et se considéraient, par conséquent, de même sang. Un des plus anciens dictionnaires de la langue des Incas traduit le mot *ayllu* par « tribu, généalogie, maison, famille ». Malgré leurs liens de parenté, réels ou fictifs, les membres d'une communauté agraire se mariaient de préférence entre eux, sans que fût exclue de façon formelle la possibilité de prendre femme au-dehors. Aussi, l'*ayllu* était-il moins un clan, au sens strict du terme, qu'un grand lignage patrilinéaire auquel la possession d'un terroir, la *marka*, conférait un haut degré de cohésion que renforçaient encore des obligations mutuelles, des croyances et des traditions communes, ainsi que le culte rendu aux mêmes divinités protectrices. L'Ancêtre, parfois conçu sous forme animale, était le plus souvent identifié à quelque objet naturel, en général un rocher d'aspect plus ou moins singulier qui se dressait à proximité d'une montagne, d'une caverne ou d'un lac. On ne saurait de là conclure à l'existence du totémisme chez les anciens Péruviens, car ces mythes d'origine ne s'accompagnaient d'aucun des usages ou des pratiques qui ailleurs caractériseraient cette institution.

A en croire les Indiens qui décrivaient aux enquêteurs de Francisco de Toledo l'état du Pérou avant la conquête des Incas, chacune de ces anciennes communautés était indépendante et pourvue d'une organisation si parfaitement démocratique qu'en temps de paix elle n'obéissait à aucun chef. « Ils n'avaient d'autre gouvernement, nous dit un de ces informateurs, que de vaillants capitaines appelés *sinchi*, qui les commandaient et les gouvernaient lorsqu'ils se faisaient la guerre, pénétrant sur le territoire des uns ou des autres pour voler de l'herbe, du bois et autres choses. La guerre finie, les capitaines n'étaient pas plus que le reste des Indiens. Ils n'étaient pas respectés et n'avaient ni commandement ni pouvoir sur eux... » Il est donc probable qu'en beaucoup de régions du Pérou, les communautés rurales s'administraient elles-mêmes, nommant tout au plus des chefs temporaires. La désignation des autorités villageoises dépendait sans doute, comme aujourd'hui, d'un conseil de chefs de famille qui ne se réunit, en fait, jamais, mais prend ses décisions un peu au hasard, à la suite de conversations individuelles et de rencontres plus ou moins fortuites.

Cependant, s'il en allait ainsi et si ces communautés pratiquaient une égalité idyllique, comment expliquer l'existence des chefs héréditaires, les *curaca*, « anciens » que les Incas incorporèrent à leur système administratif et qui, après la conquête espagnole, s'empressèrent de revendiquer leurs anciens droits sur les communautés ? Peu d'historiens semblent avoir perçu la contradiction. Dans les documents administratifs et dans les chroniques, il est constamment question de seigneurs plus ou moins puissants que les Incas déposent ou au contraire confirment dans leur poste. La société n'aurait donc pas été aussi démocratique qu'on aurait pu en inférer d'autres témoignages. En réalité, les conditions sociales et politiques variaient d'une vallée à l'autre. Ici, les *ayllu* ne reconnaissaient que le conseil des « anciens » ou un chef de village ; ailleurs, ils dépendaient d'un chef qui, ayant réussi à établir son autorité sur plusieurs *ayllu*, faisait figure de roitelet. Les *curaca* possédaient des terres que la communauté villageoise était tenue de cultiver et pouvaient à leur gré lever des hommes pour la guerre ou pour des travaux collectifs.

Le véritable propriétaire du sol était le lignage, qui possédait un terroir dont il défendait jalousement les frontières. A l'intérieur de ce cadre social et géographique, chaque famille possédait des droits dont la nature exacte nous échappe. Tantôt il est question des terres qui se transmettaient par héritage dans la même famille, tantôt de parcelles périodiquement redistribuées selon les besoins de chaque groupe familial. Les lots auraient été plus ou moins grands selon le nombre des individus dans chaque maisonnée et selon leur sexe. La répartition annuelle des terres est attestée par trop d'autorités pour qu'elle puisse être niée, mais la propriété foncière nous est attestée non moins catégoriquement. Des coutumes modernes nous aideront peut-être à atténuer ces contradictions. Dans certaines *communidades* du Pérou, à Kauri notamment, on procède chaque année à une cérémonie purement symbolique de la distribution des terres qui ne change en rien les situations acquises. Les chefs de famille affirment leurs droits en faisant le tour de leurs champs et en piétinant le sol devant les autorités. En outre, les communautés agraires disposent de terres en jachère ou incultes qui sont attribuées aux jeunes ménages et à ceux qui prennent à leur charge les frais d'une fête religieuse. Jadis les membres de la collectivité obligés de s'abstenter ne perdaient pas leurs droits. Leurs terres étaient cultivées en commun ainsi que les champs des veuves et des invalides. Chacun pouvait mener paître ses troupeaux sur les pâturages communaux et tirer parti des autres ressources du terroir. Pour l'essentiel, ces groupes se suffisaient à eux-mêmes et n'échangeaient avec leurs voisins qu'un petit nombre de produits naturels ou d'objets manufacturés. La spécialisation artisanale, peu poussée, était due, soit à des traditions culturelles particulières, soit à la présence de certaines matières premières facilement accessibles.

Les *ayllu*, ou communautés agraires, étaient groupées en

« moitiés » qui s'intitulaient respectivement *Hanan-saya* « Moitié d'en haut » et *Hurin-saya* « Moitié d'en bas ». Cette division bipartite de la population nous est spécialement bien connue pour le Cuzco qui comportait deux sections *Hanan-Cuzco* et *Hurin-Cuzco*. Les premiers souverains incas appartinrent aux lignages d'en bas « jusqu'à l'Inca Rocca qui, à la suite d'une révolution de palais, transféra à la partie d'en haut le privilège de compter parmi ses membres l'empereur et sa famille ». Bien que les fonctions sociales ou religieuses des « moitiés » n'apparaissent pas avec clarté, cette organisation dualiste, que nous retrouvons dans de très nombreuses populations primitives des Amériques, s'est maintenue jusqu'à nos jours. Au Cuzco, lors des fêtes, les gens des deux moitiés se groupaient séparément, et il s'établissait entre eux une certaine émulation ou rivalité que l'on constate encore à l'époque moderne lorsque les *Hanan-saya* et les *Hurin-saya* célèbrent la fête de leur saint patron. Des joutes rituelles dégénèrent parfois en conflits brutaux.

Ces petites communautés rurales, dont nous avons cherché à reconstituer la physionomie, ont prospéré et se sont multipliées grâce à une agriculture intensive et à l'élevage. Dans aucune région du globe, l'homme n'a arraché à l'état sauvage ou cultivé autant d'espèces végétales qu'au Pérou. On estime à plus de quarante espèces celles que les indigènes faisaient croître dans leurs champs à des fins alimentaires, médicales ou industrielles. Une telle abondance ne s'explique que par la variété des climats dans un espace restreint, par le nombre des civilisations qui se sont formées en vase clos pour se fondre en de plus vastes ensembles et enfin par une attention constante donnée à l'agriculture pendant des millénaires.

La pomme de terre est le don le plus précieux que le Pérou ait fait à l'Ancien Monde. C'est à force de patience et d'expériences répétées que les Indiens ont transformé en notre aliment favori les tubercules, à peine gros comme une noisette, amers et coriaces, d'une plante agreste. Sans la pomme de terre, on imagine mal le peuplement du haut plateau et le développement de grandes civilisations comme celle de Tiahuanaco ; les Indiens ont su sélectionner un grand nombre de variétés (environ 700), appropriées à divers usages et à diverses zones climatiques, en particulier aux hautes altitudes. Si grande que soit la part faite à la pomme de terre dans la nourriture indigène, son prestige était toutefois inférieur à celui du maïs, qui, venu tardivement, était l'aliment noble, seul digne d'être offert aux dieux.

La céréale des hauts plateaux est la *quinua*, le riz des montagnes, riche en protéines et en sels minéraux et qui brave les gelées et la grêle. A mesure que l'on descend vers les terres chaudes, le nombre des plantes cultivées ne cesse de croître : courges, piments, haricots, patates douces, manioc, arachide, tomates, avocats et coton, pour ne mentionner que les plus importantes. L'extraordinaire développement de l'agriculture andine est d'autant plus remarquable que, sur un sol aussi accidenté, les surfaces planes, propices à la culture, étaient relativement rares. Au prix d'immenses efforts, les Indiens sont parvenus à augmenter la surface des terres arables en construisant sur les pentes des montagnes, même les plus abruptes, des terrasses de culture qui, tels de gigantesques escaliers, s'échelonnent du fond des vallées à la limite des neiges.

L'agriculture des terres hautes dépend dans une large mesure de l'irrigation, en raison de la durée de la saison sèche et de la rapide évaporation des eaux pluviales. Les Incas ont dû entreprendre des travaux hydrauliques dont Garcilaso de la Vega dit, dans un accès d'enthousiasme, « qu'ils surpassent les plus merveilleux ouvrages qui soient au monde ». Comme lui, nous avons peine à comprendre « comment sans aucun instrument de fer ni d'acier, à force de bras seulement et avec de grosses pierres, les Indiens ont pu faire de pareils ouvrages ; comment ils ont pu renverser des roches immenses, remonter à la source des rivières pour en éviter la profondeur et traverser les montagnes les plus hautes ».

On suit aujourd'hui encore le tracé de leurs canaux sur des douzaines de kilomètres. Quelques-unes parcouraient de beaucoup plus longues distances, si même les centaines de lieues dont parle Garcilaso de la Vega constituent une exagération. Ces canaux franchissaient les gorges sur des aqueducs en maçonnerie et passaient dans des tunnels creusés dans des éperons montagneux. A Cajamarca, un canal a été taillé dans la roche vive sur plus d'un kilomètre, et les ingénieurs ont donné à son cours une forme zigzagante pour ralentir le débit de l'eau. A Huandoval, deux canaux se rencontrent et se croisent entre deux montagnes. L'un, large d'un mètre cinquante, suit le sommet d'un mur tandis que l'autre le traverse perpendiculairement. Selon Wiener, à qui nous devons la description de cette œuvre hydraulique, il subsiste-

Terrasses de cultu

Canal d'irrigation taillé dans le rocher, Cajamarca.

rait un troisième canal, à sec aujourd'hui, au-dessous de ces deux étages.

Les Indiens n'hésitaient pas à endiguer les rivières et à en corriger ou même à en détourner le cours, si besoin en était. Les eaux emmagasinées dans des réservoirs ou des citernes étaient distribuées par le moyen d'écluses. La science, tout empirique, des ingénieurs incas a dû être considérable, si l'on juge avec quel art ils ont su estimer la déclivité du terrain et tirer parti des rivières et des lacs qu'ils captaient, souvent au pied des glaciers.

Les habitants du littoral tiraient déjà parti pour leur agriculture des immenses gisements de *guano* qui, au siècle dernier, ont fait la richesse du Pérou. Il est possible que ce merveilleux engrais ait été importé à l'intérieur des terres car, d'après Garcilaso de la Vega, l'Inca « donnait ces îles à guano à la province qui lui plaisait et les partages étaient faits avec tant d'exactitude que non seulement une ville, mais même un habitant ne pouvait s'en plaindre ». Les oiseaux marins dont la fiente se transforme en *guano* étaient protégés par des lois sévères. Il était défendu « sous peine de mort d'entrer dans ces îles pendant leurs pontes et de les tuer en quelque endroit que ce peut être ».

La domestication de deux camélidés, le lama et l'alpaca, donnait à l'économie des anciens Péruviens un caractère unique dans le Nouveau Monde. Sur les hauts plateaux, où le rendement de l'agriculture est faible et précaire à cause de l'altitude et des intempéries, les Indiens menaient une vie entièrement pastorale. Ces populations n'étaient d'ailleurs pas les plus pauvres. Elles se procuraient tout ce qui leur était nécessaire, contre la laine et la viande de leurs troupeaux. Le lama servait de bête de somme. Bien qu'il se refuse à porter des fardeaux excédant vingt-cinq kilos et ne parcoure qu'une quinzaine de kilomètres par jour, son extrême frugalité compense ces inconvénients. Quant à l'alpaca, sa valeur économique tient surtout à son épaisse toison.

Les maisons, isolées ou groupées en hameaux ou villages, occupaient généralement des terrains rocheux ou stériles pour économiser les surfaces arables. Elles étaient situées de préférence sur un versant montagneux environ à mi-chemin du fond de la vallée, avec ses terres chaudes ou tempérées, et des pâturages des sommets. Grâce à cette situation intermédiaire, les Indiens pouvaient cultiver des espèces propres à divers climats, varier leur alimentation et éviter la perte totale de leurs récoltes en cas de désastre.

Plusieurs ménages, étroitement apparentés et placés sous l'autorité d'un « ancien », habitaient dans les huttes voisines, disposées autour d'une sorte de cour. La forme et la structure des habitations variaient selon les régions. Dans les vallées des Andes centrales, où elles avaient une forme rectangulaire, elles étaient faites en pisé, en mottes d'herbe ou en pierres sèches, et recouvertes de chaume. A l'intérieur, quelques niches servaient d'armoires, car les meubles manquaient presque complètement. Les Indiens couchaient sur le sol, enveloppés d'une grosse couverture de laine. Les cochons d'Inde couraient librement dans les pièces ou étaient enfermés dans une fosse peu profonde. Près de la maison, un enclos s'élevait, qui renfermait les quelques lamas auxquels les familles avaient droit.

Chez un peuple aussi profondément attaché à la glèbe que l'étaient les Indiens andins, la religion revêtait un caractère éminemment agraire. Bien que le cycle des fêtes villageoises soit mal connu, il ne devait guère se distinguer de celui du calendrier des Incas, lequel correspondait très exactement au rythme des saisons et des travaux agricoles. La religion impériale, malgré sa pompe, était dominée par les mêmes préoccupations et les mêmes aspirations que celle des paysans des villages les plus lointains. Ce n'est pas effet du hasard si la principale divinité païenne encore vénérée par les descendants des Incas est la *Pacha-mama,* la Terre-mère, qui accorde ou refuse à ses fils ses bienfaits et veille sur leurs troupeaux. Les croyances et les pratiques religieuses ou magiques paysannes, que les missionnaires espagnols tâchèrent en vain d'éliminer, ne sont attribuées à la civilisation inca que parce que notre connaissance ne dépasse point cette époque. En fait, elles étaient sans doute communes à la plupart des nations et tribus andines bien avant leur unification sous une seule dynastie. Mieux vaut peut-être en parler ici pour compléter notre tableau de la vie rurale.

Comme les prêtres espagnols pourchassaient particulièrement ces symboles tangibles du paganisme que sont les idoles, nous sommes mieux renseignés sur leur culte que sur d'autres aspects de leur vie religieuse. Pour aider les « visiteurs » ecclésiastiques à extirper l'idolâtrie, des prêtres rompus à ce métier rédigèrent de petits traités à l'usage de leurs collègues novices. Ces ouvrages de circonstance, ainsi que les sermons dénonçant les « superstitions » populaires, abondent en détails précieux sur des croyances et des pratiques chères aux villageois. Aux idoles et aux sanctuaires qui les abritaient, les Indiens donnaient le nom générique de *huaca*, qui désignait également tout objet, tout phénomène dans lequel ils percevaient une manifestation surnaturelle. Une *huaca* pouvait aussi bien être une montagne qu'une plante ou un animal insolite. Un enfant anormal, né par exemple avec six doigts à une main, rentrait dans la catégorie des *huaca* au même titre qu'une amulette. Les cristaux de roches, les fameuses pierres *bezoars* (calculs trouvés dans les intestins des herbivores), tout ce qui, enfin, de près ou de loin, suggérait la présence de forces obscures, était *huaca.* La religion rurale, et à bien des égards celle des Incas eux-mêmes, était mal dégagée d'un animisme assez fruste et même d'un certain animatisme, puisqu'elle ne se souciait pas toujours de prêter une personnalité à la force occulte dont certains objets étaient apparemment chargés.

Le mot *huaca*, qui désignait le sanctuaire où les fétiches étaient vénérés, s'est étendu aux sépultures anciennes et aux vases qu'elles recèlent. Les pilleurs de tombes faisant commerce d'antiquités s'appellent aujourd'hui des *huaqueros*.

Devant l'imprécision de nos sources, il est difficile d'établir une hiérarchie entre les innombrables *huaca* que les « visiteurs » dénichaient avec tant d'acharnement. Le culte de l'Ancêtre de la communauté avait une importance considérable, étant le garant de la solidarité du groupe. Il symbolisait les liens qui unissaient des familles, lesquelles, sans cela, eussent perdu le souvenir de leur origine commune. Il était leur *kamak*, leur créateur, qui avait instauré les lois régissant le groupe. On lui attribuait des particularités de vêtements ou d'usages qui le distinguaient des autres.

Afin de concilier le mythe d'une création de l'humanité tout entière par une seule divinité et la croyance en l'origine séparée des nations ou des lignages, les Indiens avaient imaginé que le Créateur, Viracocha, une fois son œuvre accomplie, avait envoyé sous terre les Ancêtres de tous les peuples. Ceux-ci surgirent, qui d'une grotte, qui d'une montagne, d'un lac ou d'un arbre. « C'est parce qu'ils étaient sortis en ces endroits et s'y étaient multipliés que les Indiens en firent leurs *huaca*, ou sanctuaires, en souvenir du premier homme de leur lignage qui y était apparu. » Le *pakarina* n'est pas seulement l'Ancêtre mythique, il est aussi le lieu de son épiphanie et l'endroit où il fut changé en pierre. Ses descendants y venaient faire des sacrifices et restaurer leurs forces au contact des effluves bénéfiques qui émanaient de ces sites ou de ces objets privilégiés.

On donnait à la roche qui symbolisait l'Ancêtre humain ou animal de la communauté, le nom de *markayok*, que les Espagnols traduisirent par « patron ou défenseur » du village. Si le fétiche était une pierre transportable, elle appartenait au chef du lignage, qui en prenait soin et la transmettait à ses héritiers.

« Après les *huaca* de pierre, nous dit Arriaga, le plus célèbre de ces extirpateurs de l'idolâtrie, leur plus grand objet de vénération et d'adoration sont les *malquis*, os ou corps entiers de leurs ancêtres païens qu'ils disent être fils des *huaca*. Ils les conservaient dans des endroits écartés de la campagne, dans des *machay* qui sont leurs anciennes sépultures. Parfois ils les couvrent de tuniques très précieuses et de plumes de diverses couleurs ou d'étoffes fines, appelées

A Cajamarca, tombes dans la falaise.

kumbi. » L'ancêtre mythique, symbolisé par un rocher ou par une pierre, étant souvent confondu avec ces restes humains, « les visiteurs eurent ordre de s'informer si l'ancêtre vénéré était une pierre ou un corps ».

Les morts étaient déposés dans des cavernes, des tombes voûtées ou des sortes de tours rondes ou carrées. Ils recevaient des offrandes et des sacrifices de leurs parents qui leur demandaient aide et conseil. Ce fut avec la plus grande répugnance, pour ne pas dire avec la plus grande horreur, que les Indiens obéirent aux prêtres catholiques qui exigeaient que leurs morts fussent inhumés dans des cimetières consacrés. Pris de désespoir, ils déterraient les cadavres la nuit pour les transporter dans leurs anciennes sépultures. A des pères jésuites qui leur demandaient pourquoi ils agissaient ainsi, ils répondirent : « Par pitié, et par commisération pour nos morts, afin qu'ils ne soient pas fatigués par le poids des mottes de terre. »

Chaque famille possédait des amulettes, appelées selon les régions *conopa* ou *chanca*, qui étaient également qualifiées de *huaca*. Il y en avait de toutes sortes. Les plus communes, des pierres de couleur ou d'aspect insolite, étaient censées assurer la prospérité de la maisonnée et écarter de ses membres le malheur et la maladie. Certaines pierres, auxquelles le hasard avait donné la forme d'un animal domestique ou d'une plante cultivée, étaient ramassées et promues à la dignité de gardiens des troupeaux ou des récoltes. D'habiles retouches complétaient parfois cette ressemblance forfuite. Le talisman devenait alors œuvre d'art. Peut-être faut-il mettre au nombre des *conopa* ces figurines, représentant un lama dont le dos porte une cavité profonde, qui ont été retrouvées sur toute l'étendue de l'ancien Empire. Par analogie avec une coutume observée aujourd'hui encore, on suppose que ces objets, contenant des offrandes, étaient enterrés dans les pâturages afin d'obtenir de la Terre-mère la multiplication des troupeaux.

Il existait sans doute un lien entre les épis de maïs en pierre qui figurent en si grand nombre dans les collections archéologiques et le culte rendu à la *Sara-mama* ou « Mère du Maïs » qui, comme l'Esprit du blé en Europe, s'incarnait après la récolte dans une gerbe. Au Pérou, l'Esprit du maïs était symbolisé par un épis de maïs de très grande taille ou jumelé, que l'on gardait précieusement dans un grenier en miniature jusqu'à la prochaine récolte.

Les *conopa* qui protégeaient une communauté étaient enterrés en un lieu secret ou dissimulés dans un interstice de rocher. A dates fixes, les Indiens les sortaient de leurs cachettes pour leur offrir de la poudre de coquillage, de l'ocre, des parcelles d'or ou d'argent, de la coca et d'autres substances magiquement efficaces. Ils brûlaient en leur honneur des plantes aromatiques, les baignaient dans le sang des victimes et leur adressaient de ferventes prières. Il y a une vingtaine d'années, j'ai assisté, chez les Indiens uro-chipayas de la Bolivie, aux cérémonies célébrées à l'intention des *samiri*, simples blocs de pierre considérés comme les gardiens du village. Sous mes yeux se déroulèrent des rites dans lesquels il était facile de reconnaître ceux que les inquisiteurs espagnols dénoncèrent avec tant de virulence.

Les Indiens considéraient aussi comme *huaca* les tas de pierres, ou *apacheta*, que l'on trouve aujourd'hui encore au sommet des cols ou le long des routes en des endroits où

Une huaca *moderne (Chipaya).*

les voyageurs sont tentés de s'arrêter. Les Indiens ne manquaient jamais d'y ajouter un caillou qu'ils avaient parfois porté sur leur dos en gravissant la crête. En signe d'hommage, ils s'arrachaient quelques poils des sourcils qu'ils soufflaient en l'air ou déposaient en offrande leur chique de coca. Ils offraient aussi « de petits éclats de bois, de la paille, une vieille sandale ou un chiffon. Ces pierres et ces objets finissaient par former de hautes buttes sur lesquelles les Espagnols s'empressèrent de planter des croix ». A ceux qui les interrogeaient sur cette pratique, les Indiens répondaient qu'ainsi « ils reprenaient leur souffle et se débarrassaient de la fatigue ». D'autres prétendaient que, s'ils négligeaient l'*apacheta* qu'ils « adoraient comme une *huaca* », celle-ci ne les laisserait pas passer à leur retour.

Dans les villages, les prêtres étaient souvent des membres de la communauté qui, en raison de leur grand âge, ne participaient plus aux travaux des champs, mais pouvaient encore se rendre utiles par leur connaissance du rituel et des traditions. Ils vivaient des produits des champs consacrés aux dieux.

Les magiciens, dont les fonctions se confondaient avec celles des prêtres ou des médecins, se recrutaient parmi les individus qui, frappés par la foudre, avaient de ce fait été choisis par Illapa, le dieu du tonnerre. Ils prédisaient l'avenir, soignaient les malades et dirigeaient les cérémonies privées. Ils étaient aussi consultés pour démasquer un voleur ou le punir par des charmes.

A côté de ces divinités tutélaires, représentées par des fétiches, une foule de mauvais esprits et de monstres surnaturels existait, dont le souvenir s'est perpétué dans le folklore moderne. Déjà, au XVIe siècle, il est fait allusion aux *hapiñuñu*, ces femmes aux seins tombants avec lesquels elles capturent les voyageurs solitaires pour les dévorer; aux têtes volantes, qui plantent leurs dents dans la nuque de leur victime et en sucent le sang; ou à l'*anchanchu*, qui se repaît de la graisse des individus qu'il surprend la nuit.

Les âmes des morts s'éloignaient à regret des sites qui leur étaient familiers. Par jalousie, par crainte de la solitude, elles cherchaient à entraîner avec elles l'âme de quelque parent ; aussi étendait-on autour de la maison une couche de cendre où se marquaient les empreintes de ceux que les morts voulaient attirer à eux.

La caste des Incas

La clef de voûte de l'Empire était le *Sapa-Inca*, c'est-à-dire l'empereur, descendant direct de *Inti*, le Dieu Soleil, et participant de sa divinité. Aujourd'hui encore, le mot *inca* éveille chez l'Indien le plus pauvre et le plus ignorant la vague image d'un être mystérieux et bienveillant. Les chroniqueurs espagnols ont à l'envi célébré le faste de sa cour, le respect dont il était entouré et l'orgueil qui l'animait. Plus émouvantes cependant sont les observations des quelques Espagnols qui accompagnèrent Hernando de Soto et Hernando Pizarro lorsqu'ils se rendirent en ambassade auprès d'Atahuallpa qui campait dans la plaine de Cajamarca. Ils furent à la fois les premiers et les derniers hommes de notre race à avoir vu l'Inca dans la plénitude de son pouvoir, souverain incontesté d'un État immense. Le lendemain, ce monarque n'était plus qu'un captif humilié, bon à être garrotté.

L'empereur avait établi ses quartiers près d'une source d'eau sulfureuse à côté de laquelle s'élevait un corps de bâtiment dont il avait fait sa résidence. Il y avait là une piscine alimentée en eau chaude et froide par deux tuyaux. Il s'y baignait volontiers en compagnie des femmes de son harem. Quand les Espagnols arrivèrent en présence d'Atahuallpa, celui-ci, le front ceint d'une frange rouge, la *maskapaicha*,

ue de l'époque inca.

Détail de queru, *timbale laquée, la danse à la chaîne d'or.*

était assis sous une galerie sur un petit escabeau de bois. Il était entouré de ses femmes et d'un grand nombre de dignitaires, chacun occupant la place correspondant à son rang. Deux femmes avaient tendu devant l'empereur une pièce d'étoffe à travers laquelle il pouvait voir sans être vu, « conformément à la coutume de ces seigneurs de ne permettre que rarement à leurs vassaux de les contempler ». Hernando de Soto ayant exigé que ce voile fût baissé, Atahuallpa, la tête penchée, affecta de ne pas le regarder, communiquant avec son interlocuteur par l'intermédiaire d'un héraut. Il ne s'adressa directement à Hernando Pizarro que lorsqu'il eut appris que celui-ci était le frère de l'*apo*, chef des étrangers.

L'Inca avait un tel souci de sa dignité qu'il demeura impassible lorsque Hernando de Soto fit caracoler sa monture si près de lui que son vêtement fut souillé par la bave de l'animal. Tous les gardes qui n'avaient pu surmonter un mouvement de terreur devant le monstre inconnu qui fonçait sur eux furent exécutés le soir même ainsi que toute leur famille. A la fin de l'entrevue, Atahuallpa se fit servir de la *chicha* dans deux vases d'or dont il offrit l'un à Hernando Pizarro tandis qu'il vidait l'autre. Il en usa de même avec de Soto, mais avec des gobelets d'argent. C'est ainsi qu'aujourd'hui encore les Indiens boivent à la santé de leurs hôtes.

Le lendemain, au début de l'après-midi, Atahuallpa se dirigea en grande pompe vers la ville de Cajamarca. « Tout d'abord apparut un escadron d'Indiens en livrées de différentes couleurs, disposées en damier. Ils avançaient, enlevant tous les fétus de paille sur le sol et balayant la route. Ensuite arrivèrent trois escadrons diversement vêtus, dansant et chantant. Enfin survint un certain nombre d'hommes avec des armures, de larges plaques de métal, des couronnes d'or et d'argent. Parmi eux se trouvait Atahuallpa porté par de nombreux Indiens dans une litière tapissée de plumes de perroquets de diverses couleurs et ornée de plaques d'or et d'argent. Il était suivi de deux litières dans lesquelles avaient pris place deux grands caciques et enfin de plusieurs compagnies d'Indiens avec des couronnes d'or et d'argent. » (Pedro Pizarro.) La richesse déployée par les gardes du corps fit sur les Espagnols une forte impression dont un autre témoin de cette scène, Estete, s'est fait l'écho. « Ils étaient couverts, écrit-il, de tant de plaques d'or et d'argent que c'était merveille de les voir reluire au soleil... »

Ce magnifique spectacle n'était pas improvisé pour donner aux Espagnols une idée avantageuse de la puissance et de la grandeur de l'Inca. Nous savons par d'autres sources que les Incas ne se déplaçaient qu'en grande pompe, dans une litière aux brancards incrustés d'or et d'argent et « surmontée de deux arceaux en or, enrichis de pierreries, soutenant une lourde tenture dérobant le souverain au regard de la foule ». Des archers, des hallebardiers se tenaient autour de la litière royale et ils étaient suivis et précédés par une véritable armée. Des courriers annonçaient l'approche de l'empereur, et les multitudes qui se pressaient sur son passage criaient : « Très grand et très puissant Seigneur, fils du Soleil, chef unique, que toute la terre t'obéisse ! » Cieza de Leon, à qui nous devons ces détails, remarque à ce propos qu'« il s'en fallait de peu qu'il ne fût adoré comme un dieu ».

Le caractère sacré de la personne de l'Inca s'exprimait dans la nature des hommages qui lui étaient rendus. Les Indiens commençaient par lever le visage et les mains vers le Soleil, puis en usaient de même vers l'Inca, disant : « Fils du Soleil, bon et ami des pauvres. » Ils déposaient des offrandes à ses pieds et lui sacrifiaient même des lamas en tant que fils du Soleil. (Betanzos.)

Au cours des dix mois que dura la captivité d'Atahuallpa à Cajamarca, les conquistadors eurent souvent l'occasion de remarquer les règles d'étiquette qu'observaient les femmes et les courtisans qui lui étaient restés fidèles. Bien que déchu et humilié, Atahuallpa n'en inspirait pas moins un respect voisin de la crainte. Le cacique de Huaylas, qui lui avait demandé la permission de s'absenter et était revenu après la date fixée par l'empereur, était si ému au moment de comparaître devant lui, « qu'il se mit à trembler au point de ne pouvoir rester debout ». Cependant l'apercevant, Atahuallpa « leva la tête, lui sourit et lui fit signe de s'en aller ».

Chacune des femmes de son harem le servait à tour de rôle pendant huit ou dix jours. Chacune prenait ses fonctions avec ses suivantes, « filles de seigneurs ». Seules ces femmes avaient constamment accès auprès du souverain. Les nobles et les caciques se tenaient dans la cour, attendant d'être appelés. Ils ne pénétraient chez l'Empereur que pieds nus et un fardeau sur le dos. Même Challcuchima, le plus glorieux des généraux d'Atahuallpa, se conforma à cette règle lorsqu'il « alla se jeter en pleurant aux pieds de son maître ».

Atahuallpa mangeait assis sur son escabeau. Ses aliments, servis dans de la vaisselle d'or, d'argent ou d'argile, étaient disposés devant lui sur de petites nattes. « Il désignait le plat dont il avait envie, et une des femmes le prenait et le tenait dans ses mains pendant qu'il le mangeait ». S'il faisait la moindre tache sur ses vêtements, il se rendait dans ses appartements pour en changer.

Tout ce que l'Inca touchait devenait tabou. Pedro Pizarro dit avoir vu des malles « contenant tout ce qu'Atahuallpa avait touché de ses mains et les vêtements qu'il avait jetés. Il y avait les petites nattes que l'on étendait à ses pieds lorsqu'il mangeait, les os des animaux et des oiseaux qu'il avait rongés et tenus à main, les épis de maïs qu'il avait jetés, bref, tout ce qu'il avait touché ». Pizarro ayant demandé pourquoi on gardait toutes ces choses, on lui répondit « que c'était pour les brûler car, chaque année, il fallait brûler tout ce que touchaient ces Seigneurs, fils du Soleil, et que les cendres devaient être semées au vent, car personne ne devait y toucher. Il y avait un noble avec ces Indiens qui gardait toutes ces choses que les femmes recueillaient ».

Récipient inca.

Trône de l'Inca, Cuzco.

Les vêtements de l'Inca ne se distinguaient de ceux de ses sujets que par la finesse des étoffes en laine de vigogne. Le même Pedro Pizarro nous raconte qu'ayant été frappé par la qualité soyeuse d'une cape brune qu'Atahuallpa avait revêtue, celui-ci lui dit qu'elle était faite de poils de chauve-souris. Devant l'étonnement de son interlocuteur, l'empereur lui expliqua que les gens – ces « chiens » disait-il, – de la région de Tumbez et de Puerto Viejo n'avaient rien de mieux à faire que d'attraper ces animaux pour lui en faire des manteaux.

Le symbole de la dignité impériale était le *llautu*, tresse de différentes couleurs faisant cinq ou six fois le tour de la tête et retenant sur le front une frange en laine, la *maskapaicha*, dont chaque élément passait dans un petit tube d'or. Au-dessus, se dressait une baguette surmontée d'une sorte de pompon et de trois plumes d'oiseau rare. Dans le lobe de ses oreilles étaient insérés deux énormes disques d'or. Il portait en outre un disque d'or sur la poitrine et de gros bracelets. Il tenait à la main un casse-tête étoilé ou une courte hallebarde en or.

Parmi les symboles de la royauté figurait un lama blanc, appelé *napa*, qui représentait le premier de ces animaux apparu sur terre après le déluge. Ses oreilles étaient ornées de bijoux en or et son dos était couvert d'une housse écarlate. Au mois d'avril, on lui sacrifiait, ainsi qu'au *suntur paukar*, bois de lance décoré de plumes qui était un des insignes royaux, quinze lamas. La *chicha* dont on faisait des libations était présentée dans des jarres que le *napa* renversait en marchant. Il ne fait aucun doute que, dans cette fête, s'exprime le caractère sacré conféré aux symboles de la souveraineté.

En plus de ses innombrables épouses et concubines (plus de sept cents, nous dit-on), l'Inca avait auprès de lui ses nombreux oncles, frères, cousins et fils, de même que les fils des roitelets et des caciques provinciaux. Il était servi par une armée de serviteurs. Parmi les indigènes que le vice-roi de Toledo fit interroger en 1572 pour obtenir des informations sur le règne des Incas, figuraient les fils et petits-fils de nombreux officiers de la cour. On trouve parmi eux des camériers, des inspecteurs de la garde-robe qui veillaient à ce que les vêtements de l'Inca fussent à sa mesure, des gardiens des étoffes en laine de vigogne, *kumbi*, des pourvoyeurs de sel, *cachi-kamayoc*, des gardiens des insignes royaux (masse d'arme et bandeaux frontaux), des jardiniers, *chacra-kamayoc*, des bergers, des gardiens des greniers royaux, des architectes, etc. A cette liste il faut ajouter les balayeurs, les porteurs d'eau, les cuisiniers, les sommeliers dont parle Garcilaso de la Vega. Beaucoup de ces offices étaient héréditaires. Un informateur, lors de l'enquête du vice-roi de Toledo, déclare « que son père fut camérier et gardien des vêtements de Huayna-Capac et que ses ancêtres le furent de Topa Inca Yupanqui ».

Les porteurs de la litière royale, dont la foulée était rapide et régulière, se recrutaient dans la tribu des Lucanas.

Les domestiques de la cour passaient pour être des « hommes habiles et fidèles, propres à ces charges ». Ils étaient fournis par des villages ou des bourgs qui étaient responsables de leur conduite. Toute faute grave commise par un serviteur était expiée par la communauté dont il était originaire. Ces charges, si humbles fussent-elles, étaient fort enviées, « parce que ceux qui les exerçaient avaient l'honneur d'approcher l'empereur et qu'on leur confiait, non seulement la maison de l'Inca, mais encore sa personne, ce qu'ils regardaient comme le plus grand avantage qu'ils pussent recevoir ».

Vers la fin de la dynastie, le principe de la pureté du sang divin que les Incas tenaient de leur ancêtre le Soleil fut porté à sa conséquence logique : l'empereur ne pouvait prendre pour femme principale, la *coya*, qu'une sœur de père et de mère. Cette forme extrême de l'endogamie ne s'est imposée que graduellement, car parmi les premiers souverains il y en eut qui choisirent leur épouse dans des lignages étrangers. Cependant, selon la mythologie officielle, Mama-Ocllo, la première impératrice, aurait été fille du Soleil et par conséquent sœur de Manco-Capac.

Les notions de primogéniture et de légitimité, interprétées selon un point de vue ibérique, ont dénaturé, sinon faussé, les renseignements que nous possédons sur le droit successoral inca. L'héritier présomptif n'était pas forcément le fils de la reine. Il semblerait même que, dans les premiers temps de la dynastie, les souverains aient désigné, parmi les nombreux fils de leurs nombreuses femmes, celui qu'ils estimaient digne de la *maskapaicha*, ou frange impériale. Tous les fils du souverain ayant, en principe, des droits égaux, la succession au trône provoquait des intrigues, des rivalités et des révoltes qui troublèrent chaque début de règne. Dans l'espoir d'éviter ces crises, les derniers souverains de la dynastie restreignirent le choix de leur successeur aux fils de l'épouse principale, la *coya* ou *piui huarmi*, qui, en principe du moins, était sœur de père et de mère du souverain. Par surcroît de précaution, les Incas associaient à leur pouvoir l'héritier qu'ils avaient choisi et, de leur vivant, lui octroyaient le droit de ceindre la frange écarlate, symbole du pouvoir.

L'héritier de l'empereur était en droit celui de ses fils qu'il jugeait le plus capable et le plus apte à gouverner ses peuples. Pachacuti, s'étant aperçu que son fils aîné Tupac-Amaru, dont il voulait faire son successeur, n'avait pas les qualités d'un chef, l'obligea à renoncer au trône en faveur de son cadet Topa Yupanqui Inca, qui s'était montré meilleur général. Certains empereurs, moins soucieux du bien public, subordonnèrent leur choix aux vœux d'une favorite. L'Inca Viracocha, qui avait fait preuve de tant de pusillanimité lorsque les Chancas envahirent ses États, déploya toute son énergie à imposer comme empereur son fils Urco, « parce qu'il aimait beaucoup sa mère ». Les nobles étaient partisans de Pachacuti, qui avait sauvé la capitale en écrasant les Chancas. Quand ce prince fit coucher par terre, devant son père, les chefs captifs pour que le vieil empereur mette son pied sur leurs nuques en signe de triomphe, ce dernier, dans son aveugle obstination, exigea que cet honneur fût dévolu à Urco qui n'avait pas participé à la campagne. Viracocha aurait même cherché à assassiner Pachacuti, qui finit par se débarrasser d'Urco. L'Inca Huayna-Capac eut aussi à lutter contre un demi-frère auquel son père aurait voulu laisser la couronne bien qu'il ne fût pas fils de la *coya*. Ce fut un oncle de Huayna-Capac (frère de père et de mère) qui le fit proclamer empereur avec l'appui de la noblesse inca. Nous avons déjà parlé de la désastreuse guerre de succession entre Huascar et Atahuallpa au moment de l'arrivée des Espagnols. Si profondes étaient les rancunes suscitées par la rivalité entre les deux demi-frères, que certains nobles incas qui avaient soutenu Huascar préférèrent s'allier aux Espagnols plutôt que de les combattre avec les membres de la faction adverse.

L'éducation des jeunes nobles et des fils de *curaca* aurait été confiée aux *amautas*, « hommes d'esprit ou qui passaient pour tels ». « Le devoir de ces *amautas* était de leur apprendre les cérémonies et les préceptes de leur religion, de leur faire connaître la raison et le fondement de leurs lois, de les instruire dans la politique et la milice ; de polir leurs mœurs ; de leur apprendre l'histoire et la chronologie par le moyen des nœuds ; de les faire parler élégamment et enfin de ne rien omettre de ce qui était nécessaire pour élever leurs enfants et conduire leurs familles. » Il est significatif que seuls Blas Valera et Morua, deux auteurs tardifs, nous parlent de ces écoles de palais. N'ont-ils pas interprété en termes européens une éducation qui avait pour base l'exemple des aînés et la transmission de traditions orales et de rites à ceux qui étaient destinés à jouer un rôle dans la religion ou l'administration ?

L'héritier présomptif s'initiait à ses devoirs en observant son père et en participant progressivement à ses activités militaires ou religieuses. S'il était associé à l'Empire, il se voyait confier des charges importantes comme la conduite d'opérations militaires ou l'administration d'une province.

Afin de prévenir les troubles qui risquaient de se produire à la mort d'un empereur, dès que la santé de celui-ci inspirait quelque inquiétude, on le cachait dans un appartement éloigné du palais où seuls ses intimes étaient autorisés à pénétrer.

Pendant toute la durée de sa maladie, les officiers royaux ne laissaient passer que des nouvelles rassurantes et affectaient le plus grand optimisme. La mort du souverain, tenue secrète pendant environ un mois, n'était annoncée que lorsque tous les gouverneurs provinciaux avaient été alertés et que des mesures avaient été prises pour assurer la transmission pacifique du pouvoir. En dépit de ces précautions, rares furent les empereurs qui accédèrent au trône sans avoir à combattre un de leurs frères, assisté par sa famille maternelle. La noblesse, qui était si complètement soumise à la volonté de son chef, assumait au cours de l'interrègne un rôle politique important et, par l'appui qu'elle apportait à l'un ou à l'autre des prétendants, influençait le destin de l'Empire.

Le soin d'ensevelir dignement le *Sapa-Inca* revenait à son lignage. Le mort était suivi dans la tombe par un certain nombre de ses femmes et de ses serviteurs, soit qu'ils s'offrissent volontairement en sacrifice, soit qu'ils y fussent contraints. Au cours des cérémonies funéraires et des danses qui alors étaient exécutées, les victimes choisies pour accompagner le défunt étaient enivrées avec de la *chicha* et étranglées. Quand les Espagnols célébrèrent l'office des morts pour Atahuallpa, qu'ils avaient étranglé sur la place de Cajamarca, le service fut interrompu par les cris de ses femmes qui, échevelées, avaient fait irruption dans la chapelle pour se tuer sur le corps de leur époux. Malgré tout ce que les Espagnols firent pour les dissuader de cette « horrible résolution », plusieurs d'entre elles se suicidèrent le soir même.

Les cadavres, dont les viscères avaient été extraits par une incision abdominale, étaient embaumés au moyen de substances balsamiques et desséchés au soleil ou de toute autre manière. Pour conserver à ces corps une apparence de vie, on leur faisait avec une mince plaque d'or des yeux postiches et on glissait des morceaux de calebasse dans leurs joues. Ils étaient recouverts de vêtements somptueux et enveloppés dans des pièces de coton. Garcilaso de la Vega, en 1560, eut l'occasion de contempler les momies des cinq Incas que Polo de Ondegardo, après de longues recherches, avait fini par dénicher. Il ne leur manquait pas un cheveu, ni un seul poil aux sourcils, et ils étaient assis à la manière des Indiens, les bras croisés sur l'estomac et les yeux tournés vers la terre. La main de Huayna-Capac qu'il toucha « lui parut aussi dure que du bois ». « Au reste, ajoute-t-il, ces corps pesaient si peu que le moindre Indien pouvait en porter un entre les bras ou sur les épaules. » Quand ces corps passaient dans la rue, « chacun venait se mettre à genoux devant eux et les adorer les larmes aux yeux. Les Espagnols même leur ôtaient le chapeau à cause du titre de roi que ces corps avaient porté durant leur vie, ce qui faisait un plaisir incroyable aux Indiens ».

La momie de chaque Inca était conservée dans le palais qu'il s'était fait construire. Certains auteurs affirment néanmoins que les cadavres des empereurs étaient exposés sur des sièges dans la grande salle du Temple du Soleil. « Des Indiens, des champs et des troupeaux étaient assignés au service des empereurs défunts. C'était le devoir de la *panaka*, c'est-à-dire du lignage issu d'un souverain, de veiller sur son cadavre et d'en assurer le culte. Les ministres attachés à sa personne divinisée étaient censés interpréter leur volonté. » « Parfois ils décidaient que les momies voulaient boire et manger, d'autres fois qu'elles souhaitaient rendre visite à d'autres morts. En chacune de ces occasions, on festoyait. Les Incas morts allaient également voir des vivants dans leur maison. »

Les terres appartenant aux momies royales étaient si étendues que Huascar, après le commencement de son règne éphémère, décida de les en déposséder pour mettre fin à l'empiètement des morts sur le domaine des vivants. Par cette sage mesure, il s'attira l'inimitié des lignages royaux qui profitaient de ces propriétés.

L'Inca, personnage sacré et semi-divin pendant sa vie, devenait après sa mort un dieu, l'égal presque des plus grandes divinités de l'Empire : le Créateur, le Soleil, le Tonnerre et la Lune. Chaque fois que les statues et les symboles des dieux célestes étaient exhibés sur la grande place du Cuzco, on y amenait dans leurs palanquins les momies des Incas et on les asseyait sur des escabeaux disposés autour de la place dans un ordre précis puisque les souverains de *Hanan-Cuzco*, Cuzco d'en haut, étaient séparés des *Hurin-Cuzco*, Cuzco d'en bas. Chaque momie était entourée de prêtres, de serviteurs et de femmes chargées d'écarter les mouches.

Tous ceux qui, à un degré quelconque, descendaient du fondateur de l'Empire, Manco-Capac, avaient droit au titre d'Inca et participaient en quelque façon à l'autorité et au prestige de l'empereur. Au milieu du XVIe siècle, il y avait au Cuzco onze *ayllu* royaux. Chacune de ces *panaka*, ou lignages, avait pour ancêtre un des onze souverains légendaires ou historiques de la dynastie. La coutume voulait en effet que l'un des fils de l'Inca, autre que l'héritier présomptif, « eût soin de protéger tous les autres fils et parents et que ceux-ci le reconnussent comme chef pour leurs besoins et prissent son nom ». (Sarmiento.) Les membres de chaque lignage maintenaient vivant le culte de leur ancêtre commun et veillaient sur sa momie et sur les objets sacrés qui lui avaient appartenu ou étaient censés lui avoir appartenu. Les lignages royaux ne suffisant plus à fournir les officiers de la Couronne dont l'empereur avait besoin pour administrer des territoires toujours plus étendus, il accorda le titre d'Inca aux *ayllu* situés entre la vallée du Vilcanota et Abancay. Ces groupes qui, à la suite d'alliances ou de conquêtes, avaient fini par confondre leur destin avec celui des Incas, étaient appelés « Incas par privilège ».

A cette aristocratie revenaient pour une bonne part, les tributs que les provinces envoyaient au Cuzco. La richesse que les nobles étalaient et qui contribuait au faste de la cour avait d'autres sources que les vêtements, les joyaux et les femmes que l'empereur distribuait en récompense de quelque service ou simplement par amitié. Beaucoup de nobles occupaient des postes qui faisaient d'eux de véritables satrapes, et même ceux dont les fonctions n'étaient pas aussi brillantes jouissaient de droits qui leur assuraient une situation économique privilégiée. Les membres des lignages royaux étaient autorisés à porter quelques-uns des insignes de l'Inca dont ils se différenciaient cependant par un détail ; ainsi les disques auriculaires des nobles étaient d'un diamètre inférieur à ceux du souverain et leurs bandeaux frontaux, *llautu,* d'une seule teinte, alors que celui de l'empereur était de quatre couleurs.

Les rites d'initiation que les jeunes aristocrates subissaient après la puberté contribuaient aussi à les distinguer de leurs sujets pour qui le passage de l'enfance à l'âge adulte n'était marqué par aucune cérémonie importante. Les Espagnols, toujours à l'affût d'analogies entre la civilisation inca et la leur, considéraient cette initiation comme identique à celle qui, en Europe, précédait l'admission dans l'ordre de la chevalerie. En un sens, ils n'avaient pas tort, puisque les cérémonies et épreuves conféraient une consécration religieuse et sociale à un statut privilégié dans les deux cas.

L'initiation s'appelait *huarachicoy*, de *huara*, nom du cache-sexe masculin qui était remis solennellement aux novices à la fin du cycle rituel. Elle comportait des actes purement religieux, tels que sacrifices aux *huaca*, processions et danses devant les idoles, alternant avec des épreuves à caractère symbolique ou magique telles que fustigations, courses et démonstrations de courage et d'endurance. Il faut beaucoup de naïveté pour, à l'exemple de Baudin, faire du *huarachicoy*, « une sorte d'examen qui se terminait par un cycle d'instruction ». Il s'agit de cérémonies extrêmement anciennes dont la structure et le caractère s'apparentent aux rites d'initiation que certaines tribus du Brésil (Apinayé, Cayapo, Sherente) imposent aux jeunes gens passant d'une classe d'âge à une autre. Des détails très copieux que les vieux auteurs nous donnent sur le déroulement de l'initiation, nous ne retiendrons ici que ceux qui révèlent la volonté d'exalter la gloire de l'Empire et d'inculquer aux jeunes gens, avec l'orgueil de leur caste, la fidélité à leur seigneur, l'Inca.

Les novices, pendant une courte période de réclusion, devaient écouter les harangues de guerriers chevronnés qui leur racontaient les exploits de leurs ancêtres et les exhortaient à les égaler. Quand, au point culminant de l'initiation, les jeunes gens escaladaient la montagne sur laquelle se dressait le *huaca* de Huanacauri, ils étaient précédés par le lama blanc, mascotte de l'Empire, et par les insignes de la souveraineté : la bannière et le *sunturpauca*, ou lance garnie de plumes. Les frondes avec lesquelles ils étaient fustigés symbolisaient celles qu'avaient en main les Ancêtres sortis des cavernes de Tampu-Tocco. Les membres les plus vénérables de leurs familles, à divers moments, leur rappelaient qu'ils « ne devaient pas se montrer négligents au service de l'Inca, sous peine de châtiment ». Ils leur expliquaient « les origines lointaines de la cérémonie et leur remémoraient les « victoires et belles actions des Incas et de leurs ancêtres ».

Après la remise des armes par l'« oncle principal » et une ultime fustigation, les parents des jeunes gens leur enjoignaient « de se montrer vaillants et loyaux envers l'Inca et de respecter les dieux ».

L'initiation se terminait par la perforation des oreilles effectuée, en certains cas du moins, par l'Inca lui-même, qui se servait à cet effet de petites tiges d'or qui restaient dans l'orifice. C'est en y introduisant progressivement des chevilles de plus en plus grandes que les « chevaliers » parvenaient à distendre le lobe au point de pouvoir porter les disques auriculaires qui leur ont valu de la part des Espagnols l'épithète d'« Oreillards ».

L'organisation de l'Empire

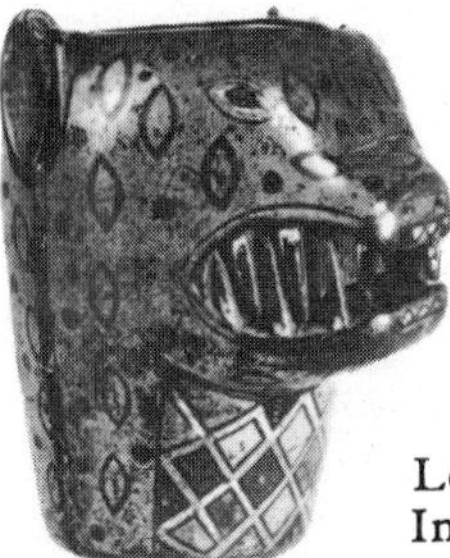

Le mythe du grand État socialiste des Incas procède d'une conception assez sommaire de ses institutions. Le régime de la propriété notamment, ainsi que les obligations des sujets envers l'empereur, ont été interprétés selon une terminologie et des notions européennes ne convenant que très imparfaitement à une civilisation qui, malgré sa complexité et son raffinement, était encore, à bien des égards, archaïque.

Le système économique et social des Incas, tel qu'il nous est décrit par Garcilaso de la Vega dans ses *Commentaires royaux*, et par tous ceux qui s'en sont inspiré, est d'une grande et belle simplicité : les souverains de l'ancien Pérou, désireux de faire régner la justice et la prospérité dans leur royaume, sitôt une province conquise, la « divisaient en trois parties, dont la première était pour le Soleil, la seconde pour le roi et la troisième pour ceux du pays ». Les champs du Dieu Soleil étaient cultivés pour les besoins du culte et leurs produits servaient à entretenir un nombreux clergé. Le domaine de l'Inca, exploité au profit du gouvernement, aurait aussi été utilisé à la façon d'une caisse de secours lorsqu'une calamité frappait quelque province. Enfin, le dernier tiers des terres arables, divisé annuellement en lots égaux, aurait été réparti entre les familles de chaque communauté à proportion de

leurs membres. La propriété privée de chacun se serait réduite à la possession d'une hutte, d'un enclos, de quelques animaux domestiques et de biens meubles, tels que vêtements et outils. Tout le reste appartenait à l'Inca. Les habitants de l'Empire travaillaient pour l'empereur qui, en échange, leur laissait la libre disposition des terres communales et répartissait équitablement une partie des fruits de leur labeur. Si telle était la structure économique de l'État inca, on pourrait, à juste titre, parler d'un socialisme d'État greffé sur un collectivisme agraire, mais en allait-il bien ainsi ?

En fait, l'empire des Incas combinait le despotisme le plus absolu avec la tolérance envers l'ordre social et politique des populations sujettes. L'Inca régnait en maître absolu, mais sa volonté parvenait à l'homme du commun par l'intermédiaire de chefs locaux dont l'autorité et les privilèges étaient maintenus et même renforcés. Les tendances centralisatrices du pouvoir s'harmonisaient tant bien que mal avec la pratique du gouvernement indirect, si cet anachronisme nous est permis.

Les aspects les plus originaux de la civilisation inca – la division tripartite des terres, les couvents des « Vierges du Soleil », les magasins de l'État, les statistiques, le réseau routier reflètent une conception très particulière des obligations des sujets envers leur souverain et une utilisation très ingénieuse des ressources en hommes et en produits qu'une politique brutalement impérialiste lui avait assurées, en moins d'un siècle.

La société inca n'a pas pratiqué l'esclavage, du moins au sens habituel du terme. Ce n'est que très tardivement que nous voyons l'empereur et ses gouverneurs installer sur leurs domaines privés des paysans arrachés à leurs communautés d'origine. Le tribut ne pouvait consister en monnaie puisque l'usage n'en existait pas, même sous la forme rudimentaire où elle s'était développée au Mexique et en Colombie. L'or et l'argent n'étaient appréciés qu'en tant que matières pour ornements et objets rituels. Les Incas auraient certes pu prélever dans chaque village une partie des récoltes, mais ils ont préféré contrôler la richesse la plus précieuse : les bras et l'énergie de leurs peuples. En tant que chefs de communautés rurales, ils avaient eu droit à la corvée et au service personnel. Devenus maîtres d'un grand empire, ils ont maintenu, à leur profit et sur une très vaste échelle, le régime de prestations auquel ils étaient habitués.

Porte d'une enceinte incaïque.

Le système de la corvée avait pris dans la vie économique une importance telle que, même à l'apogée de l'Empire, les « tributs », c'est-à-dire les impôts, étaient tous personnels et qu'aucun Indien n'était imposé sur ses biens. La notion de prestation était si fortement enracinée dans la mentalité indienne que les Espagnols constataient avec surprise que les indigènes, à l'époque coloniale, préféraient encore se soumettre à une corvée, fût-elle de quinze jours, « plutôt que de livrer aux autorités un boisseau de pommes de terre ».

Sitôt une province conquise, les fonctionnaires imposés par l'Inca avaient pour premier soin d'évaluer les ressources en hommes et cultures. Sur la base des renseignements obtenus, l'Inca faisait procéder à la délimitation des terres qui passaient au domaine de l'État et de celles dont les fruits étaient réservés au culte du Soleil et des principales divinités officielles.

En s'appropriant une partie du terroir des vaincus, les Incas altéraient mais ne transformaient pas le régime foncier existant. Ils l'inclinaient à leur avantage et à celui de leurs dieux tutélaires. Ils n'introduisirent en effet aucun changement de structure : les *ayllu* ne perdaient pas leurs communaux, même si une partie en était confisquée, ni les *curaca* et les *huaca* (idoles), leurs propriétés. Les remaniements auxquels les officiers royaux procédaient avaient pour résultat d'incorporer l'Inca à chaque communauté conquise, puisque les Incas se contentaient de revendiquer pour eux et pour leurs dieux les droits qui, depuis des temps immémoriaux, avaient été reconnus aux lignées de chefs et aux idoles de la région. En ce sens, c'est moins la communauté qui s'adaptait à une nouvelle organisation que la dynastie des Incas qui, s'identifiant en quelque sorte à l'ordre ancien, s'enracinait dans la communauté. Tout le poids de la nouvelle répartition des terres et des corvées retombait sur les paysans qui, en sus de leurs obligations envers leurs chefs et leurs dieux traditionnels, devaient maintenant cultiver les champs de l'Inca et ceux des nouveaux dieux.

Quelle était la superficie des terres de l'Inca et du Soleil par rapport à celle des terres laissées aux communautés ? Sur ce point, nos sources sont encore une fois vagues et même contradictoires. D'après Polo de Ondegardo, considéré comme une autorité en la matière, l'Inca se taillait la part du lion, tout en veillant à ce que les communautés aient de quoi se suffire. Un précieux document du XVIe siècle nous apprend que, dans la vallée de Chincha, sur la côte du Pérou, chaque groupe de mille maisonnées était forcé de céder au souverain du Cuzco une terre dont la superficie variait selon la nature du sol, mais qui était d'environ six hectares. A vrai dire, ces expropriations ne portaient pas toujours sur les aires cultivées. Les conquérants se contentaient souvent de friches qu'ils rendaient productives grâce à des travaux d'irrigation et de terrassement. Rappelons que les Incas favorisaient la culture du maïs et qu'ils destinaient à cette céréale les admirables gradins qu'ils faisaient aménager sur les flancs des vallées.

Les terres consacrées au culte, qu'elles fussent d'un seul tenant ou dispersées, étaient relativement étendues, même si leur surface n'égalait pas celle des champs de l'Inca. Polo de Ondegardo va jusqu'à dire qu'il ne croit pas qu'il y eût dans le monde nation qui « dépensât autant en sacrifices et qui dans chaque village attribuât tant de terres à cette fin ». Tous ces « arpents des dieux », il est vrai, n'appartenaient pas exclusivement au Dieu Soleil, car les sanctuaires et dieux locaux conservèrent les champs qu'ils possédaient avant la conquête.

La terre avait beau être abondante, ces confiscations étaient douloureusement ressenties par les peuples sujets. Ils ne perdirent point le souvenir des terres ainsi perdues et ne se firent pas faute de les réclamer aux Espagnols après la chute des Incas.

Il est peu probable que les Incas soient intervenus dans les affaires des communautés et aient cherché à réglementer la quantité de terres revenant à chaque famille. Les usages locaux furent respectés. Que les parcelles fussent réparties annuellement ou non, la communauté tenait certainement compte des besoins de chaque famille, « cependant qu'elle ne lui accordait que le nécessaire pour subsister, même s'il existait des terres disponibles ».

En l'absence de journaliers et d'esclaves, les surfaces que les familles pouvaient mettre en valeur étaient proportionnées à leurs effectifs. Dans certains *ayllu*, les parcelles étaient cultivées à tour de rôle par l'ensemble de la communauté, dans d'autres, seuls les parents s'entraidaient.

Le régime foncier dans l'Empire inca se caractérise donc par l'opposition entre terres communales et terres de l'Inca et du Soleil. Cependant, l'appropriation privative du sol ne lui était pas étrangère. Elle avait pour origine les donations de terres que l'Inca faisait aux nobles jouissant de son amitié ou qui s'étaient acquis des droits à sa faveur par des exploits

Machu-Picchu.

guerriers ou par l'exécution de grands travaux d'intérêt commun. Ces générosités s'étendaient aux prêtres et aux concubines royales renvoyées dans leur pays d'origine. Les terres octroyées par l'Inca étaient inaliénables et non imposables. Elles passaient aux héritiers du bénéficiaire, qui devaient les exploiter en commun et s'en répartir les fruits à égalité. Les parts revenant à chaque maisonnée étaient équivalentes, mais celui qui n'avait pas participé aux semailles perdait ses droits à la récolte. Ces donations se faisaient-elles au détriment des communautés ou étaient-elles prises sur le domaine royal ? La question reste obscure. Les propriétés que l'Inca distribuait ainsi étaient probablement prélevées sur les communaux des *ayllu* ou sur son domaine. Aucun texte ne permet de répondre à la question. Sans doute n'existait-il pas de règle à ce sujet et les décisions étaient-elles dictées par les circonstances et l'emplacement de la terre octroyée.

Le noble ou le fonctionnaire qui avait reçu une terre en donation ne perdait pas pour autant ses droits sur les communaux de son *ayllu.* La faveur de l'Inca fut donc à l'origine d'un nouveau type de propriété qui se greffa sur le régime traditionnel.

Les Incas possédaient dans les environs du Cuzco, notamment dans la belle vallée de Yucay, de grands domaines privés qui restaient leur propriété même après leur mort, puisque, nous l'avons vu, leur produit servait à l'entretien de leur momie et de la domesticité qui en avait soin. Nous ignorons par quels moyens les Incas avaient réussi à s'approprier les terres les plus fertiles de la région du Cuzco. Sans doute n'ont-ils pas reculé devant des confiscations arbitraires, comme le fit Pachacuti quand il délogea tous les Indiens établis autour de la capitale dans un rayon de cinq lieues et distribua leurs champs aux membres de la famille impériale.

Les Incas portèrent atteinte à l'intégrité territoriale des communautés, non seulement en soustrayant à leur profit et à celui des dieux une partie des terres cultivables, mais encore en confisquant dans leur totalité les terres des communautés rebelles. Plusieurs de ces confiscations, pratiquées comme châtiment, datent du règne du dernier grand empereur Huayna-Capac, au début du XVIe siècle. Les terres, enlevées à leurs légitimes propriétaires, passaient sous contrôle direct de l'Inca ou étaient distribuées à ses favoris.

Le *Sapa-Inca* possédait-il un droit éminent sur toutes les terres de l'Empire ou seulement sur les friches, pâquis et forêts ? Cette question, si souvent débattue, peut paraître tant soit peu oiseuse quand il s'agit d'un souverain jouissant d'un pouvoir absolu et disposant à son gré de la vie et des biens de ses sujets. Les communautés tiraient parti des ressources naturelles de leur territoire dans la mesure où, ce faisant, elles ne portaient pas atteinte aux intérêts de la classe dirigeante. Les mines d'or et d'argent, ainsi que les rivières aurifères, revenaient sans doute à l'Inca, bien que certains chefs locaux, ou même des communautés, semblent en avoir continué l'exploitation à leur profit. Cependant ils étaient tenus d'envoyer comme tribut au Cuzco une partie du métal extrait. Les plantations de coca dans les vallées chaudes appartenaient à l'Inca. Il les faisait cultiver directement par des gens à lui qui étaient souvent des Indiens coupables de quelque délit, car le travail dans les vallées subtropicales, considéré comme malsain, était assimilé à un châtiment.

Les Indiens n'avaient pas le droit de chasser le gibier sur leurs terres, ce plaisir étant réservé à l'Inca et à ses nobles. De temps à autre, ceux-ci organisaient, avec la participation de véritables armées de paysans, d'immenses battues, appelées *chacu,* au cours desquelles des milliers d'animaux étaient capturés et massacrés.

Les Incas s'étaient réservé la propriété d'une grande partie des troupeaux de lamas ou d'alpacas qui constituaient la richesse des habitants du haut plateau. Seuls les animaux consacrés au culte égalaient en nombre ceux de l'empereur. Les communautés de pasteurs ne disposaient en propre que d'un faible troupeau. Quant aux chefs de famille, ils n'avaient droit, en tout, qu'à une dizaine de bêtes. Selon les services rendus ou la faveur dont ils jouissaient auprès de l'Inca, les *curaca* recevaient à titre de cadeaux un nombre plus ou moins grand d'animaux.

« Le troupeau communal était tondu en temps voulu et la laine distribuée aux villageois, à chacun selon son état, ses besoins et ceux de sa femme et de ses enfants. Il se faisait des inspections pour vérifier s'ils en avaient tissé des vêtements, et ceux qui s'étaient montrés négligents étaient punis. » Tous les membres de l'*ayllu* recevaient des parts égales, même ceux qui, possédant des troupeaux de lamas ou d'alpacas, auraient pu s'en passer, ce qui prouve bien que les droits des familles étaient imprescriptibles, dût-il en résulter des inégalités entre elles.

La laine des troupeaux de l'État était filée et tissée par les soins de la communauté, qui en confectionnait des vêtements et des étoffes pour les besoins du souverain et pour les sacrifices, « car on en brûlait de grandes quantités de la qualité *kumbi* » (c'est-à-dire de la plus fine).

Les Incas, en tant que propriétaires d'une portion du terroir, furent logiquement conduits à exiger que celle-ci soit cultivée collectivement par les membres de la communauté. Sans main-d'œuvre paysanne, les terres incorporées au domaine ne leur eussent été d'aucun profit. La corvée de l'empereur était un devoir auquel tout homme marié était astreint. Toutes les obligations envers l'État étaient assumées par les *hatun-runa,* c'est-à-dire par les « adultes », les hommes mariés étant seuls considérés comme tels. L'État avait donc intérêt à ce que les jeunes gens ne tardent pas trop à fonder un foyer et ne profitent pas de leur célibat pour fuir leurs obligations. C'est ce qui explique peut-être les tournées d'inspecteurs qui, à intervalles plus ou moins réguliers, visitaient les villages où ils convoquaient sur la place les jeunes gens et les jeunes filles devant être unis en mariage, sous leur autorité. Ces fonctionnaires sanctionnaient sans doute des décisions prises par les intéressés eux-mêmes ou leurs familles. Il ne semble pas qu'ils aient imposé un choix arbitraire et qu'ils aient contrarié des penchants individuels, sauf s'il y avait rivalité pour la main d'une jeune fille. Ils intervenaient alors en tant qu'arbitres et juges. Après cet appariement officiel, avaient lieu les cérémonies de mariage proprement dites qui se célébraient selon la coutume propre à chaque région. Il n'était pas facile de se séparer d'une femme qui avait été « octroyée » par l'Inca ou son représentant. Chez les hommes du commun, la monogamie était de règle. Seuls les membres de la caste des Incas et les fonctionnaires impériaux avaient droit à plusieurs épouses ; la polygamie étant symbole de rang et de prestige.

L'unité économique prise en considération par l'État était le ménage ou la maisonnée, et non l'individu. Si les jeunes gens ainsi que les hommes âgés et les femmes n'entraient pas en ligne de compte dans la distribution des tâches, ils n'en participaient pas moins aux travaux agricoles dans la mesure de leurs forces. Un secteur du champ de l'Inca ou du Soleil était assigné à chaque corvéable. « Celui qui, assisté d'une grande famille, terminait plus vite que les autres, était appelé un homme riche. » Le travail sur les terres de l'Inca et du Soleil représentait donc une obligation périodique dont la durée variait de région à région. L'ordre dans lequel s'effectuaient les travaux agricoles, selon les catégories de terres, a donné lieu à des assertions contradictoires. Garcilaso de la Vega, dans un passage souvent cité, affirme que les paysans commençaient par les champs du Soleil et ceux des veuves, des orphelins et des soldats à l'armée, et terminaient par les terres des *curaca* et de l'Inca. Des textes de caractère moins apologétique nous assurent que l'État avait la priorité. Les produits des champs de l'Inca et de ceux du Soleil étaient entreposés dans des greniers situés le long des routes ou dans des endroits facilement accessibles. Une partie, acheminée vers le Cuzco, servait aux besoins du souverain et des familles nobles. Le reste était destiné à approvisionner les fonctionnaires, l'armée ou les équipes de travailleurs. Enfin, on tirait de ces greniers de quoi ravitailler les populations en cas de mauvaise récolte.

Les paysans tributaires étaient tenus de former des équipes, non seulement pour cultiver les champs des pauvres et des invalides, mais encore ceux des familles dont le chef était à l'armée ou employé sur les chantiers de l'Inca. La communauté rurale veillait enfin à l'entretien des routes et au bon fonctionnement du système d'irrigation.

Le tribut comportait aussi toutes les corvées de travail, *mita*, que l'Inca ou ses gouverneurs imposaient lorsque le besoin d'une main-d'œuvre abondante était ressenti. A cet égard, la guerre est assimilable à une corvée d'État. La garde et l'entretien des caravansérails, *tambo*, situés le long des routes impériales, incombait aux communautés, ainsi que la responsabilité de pourvoir chaque relais de poste de deux coureurs toujours prêts à porter d'éventuels messages. Dans les zones d'élevage, les *ayllu* devaient prendre soin des troupeaux de l'Inca et du Soleil. Ils désignaient sans doute les bergers, qui s'acquittaient de leurs fonctions à tour de rôle.

Les femmes ne figuraient pas parmi les personnes assujetties au tribut, mais en pratique elles n'y échappaient point, puisqu'une partie du poids des corvées de culture retombait sur elles et qu'elles tissaient les étoffes que l'État prélevait pour ses dépôts. Elles accompagnaient parfois leurs maris à la guerre, portant les provisions et préparant les aliments.

Les villages fournissaient des serviteurs pour les chefs ou pour la cour de l'Inca et étaient, en outre, tenus de présenter à un fonctionnaire de l'Inca toutes les fillettes de huit à dix ans. Les plus jolies étaient envoyées dans un « couvent », où, sous la direction d'une femme âgée, elles s'occupaient à divers travaux, en particulier au tissage d'étoffes fines en laine de vigogne. Lorsqu'elles atteignaient l'âge de la puberté, elles étaient soumises à unè nouvelle inspection. Les plus belles étaient incorporées au harem de l'Inca ou données comme concubines aux nobles et aux hauts fonctionnaires. Les autres, assignées à un sanctuaire, en devenaient les servantes et les prêtresses. Quelques-unes, enfin, étaient réservées pour les sacrifices humains.

Les paysans qui cultivaient les terres de l'Inca ou du Soleil, ainsi que ceux employés aux travaux publics recevaient, pendant la durée de la corvée, leur nourriture des greniers de l'État. Il en était de même pour les soldats « qui partaient à la guerre munis de vivres, d'armes, de chaussures et de vêtements provenant des dépôts de l'Inca, sans que rien leur fît défaut ». Ce qui a été souvent interprété comme une manifestation du paternalisme inca n'est que l'application sur le plan gouvernemental d'une tradition rurale aussi rigoureuse aujourd'hui qu'il y a quatre siècles : l'individu bénéficiant de l'aide de ses voisins pourvoira à leurs besoins aussi longtemps qu'ils peineront pour lui. La coutume veut qu'il soit généreux et qu'il fasse du travail dont il profite une véritable fête. La corvée accomplie pour l'Inca s'identifiait en quelque sorte à l'entraide paysanne. Elle s'accompagnait aussi de danses et de chants, bref, d'une atmopshère de réjouissance dans laquelle les Espagnols virent, bien à tort, l'effet de sages mesures destinées à maintenir le peuple en belle humeur.

Parmi les obligations des communautés envers l'Inca

Aryballe.

figuraient aussi les services de fabrication. Chaque maisonnée remettait au collecteur d'impôts un nombre déterminé de produits ouvrés : étoffes, vêtements, chaussures, cordes. Les matières premières provenaient des dépôts régionaux. Leur temps et leur peine étaient la seule contribution des prestataires. La richesse et le luxe des Incas, au sujet desquels les récits de la conquête ne tarissent pas, ainsi que la qualité technique ou artistique des objets qui abondent dans nos musées, sous-entendent une classe nombreuse d'artisans - orfèvres, tisserands, potiers et sculpteurs. Si une grande partie des objets d'usage courant était fabriquée à domicile par les paysans, les pièces de luxe, bijoux, tissus fins, céramique, étaient l'œuvre de spécialistes. Certains artisans travaillaient directement pour la cour, tandis que d'autres étaient affectés aux ateliers des gouverneurs de province ou des princes locaux. L'étiquette voulait que les fonctionnaires impériaux qui se présentaient devant l'Inca lui fissent hommage d'un objet de valeur. Ils n'auraient pu s'acquitter de cette obligation s'ils n'avaient disposé du travail d'habiles artisans. Ces ouvriers et ces artistes, déliés de toute attache avec leur communauté, nourris et vêtus aux frais de l'Inca ou des dignitaires qui les employaient, étaient dispensés de corvées. Les « vierges du Soleil » qui tissaient les étoffes en laine de vigogne, richement décorées, pourraient être assimilées aux artisans groupés en ateliers. La situation de ces individus, lesquels, leur vie durant, travaillaient pour la cour ou pour un haut dignitaire, est comparable à celle des artisans de l'ancienne Égypte qui, par la volonté du pharaon, étaient attachés à la personne d'un « nomarque ».

La condition des artisans ne se distinguait pas essentiellement de celle des *yana*, catégorie de personnes au statut peu clair et souvent contradictoire, qui se présentent, tantôt comme de véritables esclaves, tantôt comme des fonctionnaires privilégiés. Ces *yana*, arrachés à leurs communautés, dépendaient entièrement de ceux qu'ils servaient. Les uns étaient des captifs, d'autres des criminels ou des parents de criminels qui, du fait de la responsabilité collective, avaient été réduits à cet état. La plupart des *yana* cependant, étaient des jeunes gens que les communautés rurales remettaient à l'Inca ou à ses représentants, en qualité de serviteurs. Beaucoup d'entre eux devenaient des valets, les gardes du corps ou les porteurs de palanquin de l'Inca. D'autres remplissaient les mêmes fonctions auprès des gouverneurs ou les assistaient dans leur administration. Grâce à leur intimité avec les puissants, quelques-uns faisaient carrière et accédaient à des postes importants. Certains recevaient en récompense de leur zèle des femmes et même d'autres *yana* pour les servir. Malheureusement, nous ne savons presque rien de ces parvenus. Il n'en est pas moins significatif que la faveur de l'Inca ou de l'un de ses grands dignitaires ait pu faire d'un individu d'humble condition un personnage puissant. On a eu tort de ne pas prêter plus d'attention à ces aspects de la société inca qui ne correspondent guère au schéma abstrait qu'on se plaît à en tracer. A cet égard, comme à bien d'autres, le soi-disant État socialiste ressemble fort à une monarchie de type asiatique.

Les *yana* privilégiés étaient cependant l'exception. La plupart, établis sur les propriétés privées de l'Inca ou des nobles, étaient attachés à la glèbe à la manière des *colonos* dans les *haciendas* du Pérou moderne. La place toujours plus importante que les *yana* assumaient dans l'Empire ne s'explique que si leur rendement était supérieur à celui obtenu par le système traditionnel des corvées. En arrachant aux communautés quelques-uns de leurs membres, l'Inca les affaiblissait et ébauchait une révolution qui, continuée, aurait pu changer la structure de l'Empire. D'un assemblage de collectivités rurales largement autonomes, il aurait fait une sorte d'« empire préféodal » où nobles et fonctionnaires auraient possédé de grands domaines exploités par des serfs et même des esclaves.

Les redevances en nature qui s'accumulaient dans les greniers et les dépôts de l'Inca étaient utilisées à des fins multiples. Une partie des produits était acheminée vers le Cuzco, cependant que la plus grosse servait sur place à l'entretien des fonctionnaires, de l'armée et des équipes de travailleurs employés à quelque corvée d'État. C'est sans doute de ces greniers que l'on tirait les provisions distribuées à la population quand, à la suite d'une mauvaise récolte, la famine menaçait.

Dans un État agricole et artisanal où les autorités limitaient la circulation des personnes et des biens, où la production était soumise au contrôle du gouvernement qui dirigeait les excédents vers des magasins publics, le commerce n'aurait pu, dans le meilleur des cas, dépasser le niveau du troc. Mais ici encore, la réalité est moins simple. Certes, l'Inca ou ses gouverneurs intervenaient à leur guise dans les échanges d'une région à l'autre. La récolte était-elle insuffisante dans une province, l'Inca y dirigeait les produits déficitaires d'une région où ils abondaient ; certaines denrées alimentaires qui n'existaient pas dans une zone, pour des raisons climatiques, étaient régulièrement importées, à charge de réciprocité ; enfin, des objets de luxe fabriqués par des artisans au service de l'Inca étaient redistribués sous forme de dons. Les gouverneurs des marchés cherchaient parfois à obtenir des peuples non soumis des produits qui manquaient dans l'Empire. C'est sans doute par des échanges réguliers avec les tribus de la forêt amazonienne que les Incas recevaient les plumes d'oiseaux tropicaux dont ils se paraient, ainsi que les résines et les plantes de leur pharmacopée.

Déduire de ces faits que l'État exerçait un monopole sur toutes les activités commerciales serait un abus de langage et un anachronisme. Dans un pays aussi accidenté que le Pérou, où de courtes distances séparent souvent des milieux géographiques différents, le troc de certains produits était dans la logique des choses. Avant même l'époque incaïque, les communautés des zones froides cherchaient à essaimer dans les vallées chaudes afin de maintenir un minimum de variété dans l'alimentation. Les marchés du Pérou moderne ont pris de l'extension et de l'importance depuis l'introduction du système monétaire, mais ils ne sont pas des innovations dues aux Espagnols. En 1532, Estete fut frappé par l'animation de la foire de Jauja, et un marché important se tenait au Cuzco. Sans doute ne servaient-ils qu'au troc et n'avaient-ils d'importance que dans l'économie d'une région restreinte. Chaque famille était propriétaire des produits de ses terres et pouvait disposer des animaux dont elle faisait l'élevage. Certaines matières premières, indispensables aux besoins de la technologie, ont également dû être objets d'échanges.

L'activité commerciale de l'Empire, si restreinte fût-elle, ne se réduisait pas uniquement au troc entre localités voisines. Il semblerait, sans qu'on puisse l'affirmer, que de véritables commerçants parcouraient de vastes distances pour y trafiquer de certains produits. Certes, cette classe était peu nombreuse et les allusions qui la concernent sont rares. Si le commerce avait été uniquement une affaire d'État, comment expliquerions-nous ces péages aux têtes de pont que les Espagnols remarquèrent lorsqu'ils pénétrèrent à l'intérieur de l'Empire ? A Cajas, des gardiens percevaient des droits de péage en espèce sur ceux qui allaient et venaient, « car personne ne pouvait quitter la ville avec un fardeau sans payer une taxe ». C'était une ancienne coutume que l'empereur Atahuallpa avait abolie, du moins pour les produits qui étaient apportés à ses troupes. Personne ne pouvait, sous peine de mort, entrer ou sortir avec une charge, par une route autre que celle où la garde était postée.

L'empereur Pachacuti aurait même ordonné qu'il y eût des marchands, et si ceux qui trafiquaient de matières premières telles qu'or, argent et pierres précieuses étaient étroitement surveillés, ce n'était pas pour gêner leur commerce, mais simplement pour savoir d'où ils tiraient les produits dont ils étaient porteurs. La capture par le pilote de Pizarro, Bartolomé Ruyz, d'un énorme radeau chargé de marchandises, ne prouve-t-elle pas qu'en dépit de leur subjugation par les Incas les peuples côtiers n'avaient pas abandonné tout trafic maritime ? Enfin, même en négligeant ces détails, l'abondance des objets de pur style incaïque recueillis de l'Équateur au Chili suggérerait la survivance de réseaux commerciaux fort anciens que les Incas n'ont pas cherché à anéantir pour assurer leur soi-disant monopole. Cependant les archéologues ont constaté que pendant la période de Tiahuanaco les échanges entre la Côte et l'intérieur étaient plus actifs que sous la dynastie inca.

En vertu du système décrit ici, les communautés de l'Empire se suffisaient à elles-mêmes et produisaient un surplus grâce auquel les nobles et le corps des fonctionnaires vivaient dans l'aisance et même le luxe. Ce supplément était si considérable qu'il permettait de lever de véritables armées de travailleurs pour les énormes constructions entreprises par les Incas, de mener la guerre contre d'innombrables peuples et d'indemniser les artisans. Une partie des redevances perçues par l'Inca était régulièrement redistribuée, sous forme de présents, aux nobles de sa cour, aux fonctionnaires les plus zélés et aux chefs ou princes locaux dont il importait d'acheter la fidélité et le dévouement. De telles générosités, répétées sur une large échelle et sanctionnées par la coutume, ont pu faire croire à un *Welfare State* incaïque. En réalité, ici encore, l'Inca se conformait à un comportement de chef, normal dans beaucoup de sociétés archaïques, notamment en Amérique. Celui qui commande se doit d'être généreux, sous peine de perdre le soutien de ses subordonnés. Le cacique indien, en bon père de famille, veille à ce que nul n'ait faim ou ne soit nu, même si ce soin le contraint à des sacrifices personnels.

La masse impressionnante des édifices construits par les

Incas, leur appareil cyclopéen, le tracé audacieux des routes de montagne, les immenses terrasses de culture ont beau nous inspirer la plus vive admiration pour les souverains qui ont ordonné de tels travaux, ils ne nous font pas oublier le labeur des ouvriers employés à leur construction. La plupart des chroniqueurs louent l'esprit de justice qui présidait à la répartition du travail. Il semble en effet que le nombre de paysans astreints à la corvée fut faible par rapport au reste de la population. S'il est exact que la forteresse de Sacsahuaman, l'édifice le plus colossal réalisé par les Incas, ait été bâtie par trente mille hommes, on a calculé que ceux-ci ne représentaient que 1,9 % du nombre total des assujettis, c'est-à-dire des hommes adultes entre vingt et cinquante ans, si on estime l'Empire à huit millions d'individus, et que 3,8 % si l'on n'accepte que la moitié de ce chiffre.

Le système administratif des Incas semble avoir été principalement conçu pour assurer le fonctionnement efficace des diverses corvées, que celles-ci aient eu pour tâche de pourvoir à la subsistance de la caste dirigeante ou qu'elles fussent destinées à de grands travaux publics ou à la guerre. C'est ce qu'a justement vu un fonctionnaire espagnol : « Le gouvernement des Incas leur convenait fort bien, car ceux-ci ne leur laissait de liberté presque en rien. Ils leur imposaient une multitude de supérieurs et de chefs qui les surveillaient, les faisaient travailler, labourer, semer, tisser et s'occuper à d'autres métiers afin qu'ils pussent payer leur tribut. Si on avait laissé la chose au bon vouloir des Indiens eux-mêmes, et si les caciques n'étaient pas tout le temps sur leur dos, ils s'abandonneraient à la paresse et ne travailleraient point pour payer le tribut. » L'autorité de l'Inca s'exerçait sur toute une hiérarchie de fonctionnaires qui s'échelonnait depuis de véritables vizirs, choisis parmi ses proches, jusqu'aux humbles contremaîtres surveillant le travail d'une équipe de cinq personnes.

L'utilisation de ces énormes ressources en hommes et en produits n'était guère possible sans de constants dénombrements et inventaires. Il importait que l'Inca fût constamment renseigné sur le nombre de soldats ou de travailleurs que les provinces étaient à même de lui fournir, et sur la quantité de jeunes filles qui pouvaient être affectées aux temples et distribuées aux officiers et aux fonctionnaires. Le premier recensement de la population aurait été entrepris par Topa-Yupanqui, qui monta sur le trône en 1471.

Les *tukrikuk*, ou gouverneurs, étaient chargés de réunir ces données statistiques et de les communiquer à l'empereur lors de la fête de l'*Inti-raymi*. Les recenseurs étaient des fonctionnaires spéciaux, les *quipu-kamayoc*, qui enregistraient les résultats de leurs comptes sur des cordelettes à nœuds. Les différences de couleur correspondaient aux diverses classes de personnes ou d'objets. Comme il n'existait aucun état civil et comme personne ne pouvait donner son âge de façon précise, la population était divisée en dix catégories, définies approximativement par l'âge apparent et par l'aptitude au travail. On distinguait les enfants capables d'aider leurs parents de ceux qui étaient encore trop petits pour le faire et

Un comptable avec son quipu.

on rangeait dans une classe spéciale ceux que leurs infirmités rendaient inaptes à toute activité.

Ce souci de la statistique a été donné comme preuve du caractère socialiste de l'Empire inca. Ne nous laissons pas prendre au piège du vocabulaire. Les dénombrements de la population, répartie en classes d'âge, et l'évaluation des richesses produites par le travail des corvées répondaient à des besoins très simples. Les Incas n'auraient pu entreprendre leurs conquêtes ni construire leurs nombreux palais et forteresses sans être renseignés sur la main-d'œuvre disponible et sur les ressources nécessaires pour l'entretien. L'usage des cordelettes à nœuds, basé sur la numération décimale, a sans doute conduit les Incas à répartir les peuples de leur Empire selon ce même système.

Pour la plus grande commodité des recenseurs, toute la population masculine entre vingt-cinq et quarante ans environ était répartie en groupes de dix, cent, cinq cents, mille et dix mille, placés chacun sous l'autorité d'un fonctionnaire dont le rang et le prestige dépendaient du nombre des individus auxquels il commandait. A la tête de cette hiérarchie se trouvait le gouverneur provincial, nommé par l'Inca, qui, en théorie, avait autorité sur environ quarante mille tributaires, soit deux cent mille personnes, si on évalue en moyenne à cinq les membres de chaque famille dont le chef était soumis au tribut et aux corvées. Ces unités administratives étaient censées correspondre aux lignages, *ayllu*, aux tribus et aux anciennes provinces. La *pachaca*, centaine, par exemple, était synonyme d'un *ayllu*. Personne jusqu'à présent n'a réussi à expliquer comment ce cadre décimal rigide a pu être adapté aux structures sociales traditionnelles. Il est difficile de croire qu'il puisse s'agir d'autre chose que de fictions bureaucratiques ou d'approximations grossières dont le seul avantage était de faciliter, dans une région donnée, les dénombrements et les levées de troupes ou d'équipes de travailleurs. Cependant, on ne saurait négliger entièrement les témoignages des chroniqueurs qui insistent sur les efforts déployés par la bureaucratie inca pour répartir dans de nouvelles décennies les individus en surnombre dans les anciennes. Cette tendance à compter par masses plutôt que par unités est loin d'être propre aux seuls Incas.

On s'est plu à représenter l'administration inca comme un système de théoriciens imbus de symétrie et de logique. Ces schémas abstraits nous font oublier que l'Empire était fait d'États, de confédérations, de communautés rurales et de tribus ayant toutes conservé leur individualité, leurs traditions et leurs chefs. Sur ce monde disparate, l'autorité de l'Inca s'exerçait par l'intermédiaire des fonctionnaires qui se recrutaient dans les lignages royaux et dont les plus influents étaient ses parents les plus proches. L'Empire était divisé en quatre régions : *Chincha-suyu*, *Cunti-suyu*, *Colla-suyu* et *Anti-suyu*, ou quartiers, ayant chacune à sa tête un *apo*, un chef, généralement une personnalité de haut rang, frère ou oncle de l'Inca. Ces *apo*, que les Espagnols comparent à leurs vice-rois, constituaient une sorte de conseil qui assistait le souverain. Ils s'occupaient plus particulièrement des affaires de leur quartier et en discutaient avec leurs collègues. Toutes les décisions importantes émanaient de l'Inca lui-même.

Les provinces, dont le territoire correspondait en gros à celui d'anciens États ou à celui de tribus incorporées à l'Empire, étaient administrées par des gouverneurs, les *tukrikuk*, qui eux aussi, appartenaient aux lignages impériaux. Ils résidaient dans la capitale de la province, ville généralement fondée par les Incas et qui portait le nom de la province, précédé du qualificatif *hatun :* grand. Au-dessous du rang de *tukrikuk*, il n'était pas nécessaire, pour être fonctionnaire, d'appartenir à la caste des Incas. Les innombrables *curaca*, dont certains étaient de puissants seigneurs, étaient des chefs locaux dont l'importance dans la hiérarchie administrative dépendait du nombre de familles sur lesquelles leur juridiction s'étendait.

Les *curaca* d'un certain rang, généralement les chefs de dix mille familles, de même que les gouverneurs désignés par l'Inca, devaient chaque année, au mois de mai, se rendre au Cuzco pour faire leur cour à l'empereur et l'informer de leur gestion. Ces visites coïncidaient avec la remise du tribut, et il est probable que les fonctionnaires accompagnaient les Indiens qui le transportaient à la capitale. Les *curaca* devaient remettre à l'empereur en signe d'hommage de la poudre d'or, du minerai d'argent ou des pièces d'orfèvrerie. C'est à ce moment-là que l'Inca examinait les plaintes qui étaient formulées contre ses fonctionnaires et qu'il se prononçait sur le sort des accusés.

Après avoir distribué une partie du tribut reçu aux membres de sa famille, à ceux qui l'avaient bien servi et « s'étaient rendus agréables », il leur donnait « des femmes, des serviteurs, des terres de culture ou de beaux vêtements en tissu fin. Il leur accordait aussi la faveur de se faire porter en palanquin ou en hamac et leur désignait des *yana*. Il les autorisait aussi à user d'un parasol, à s'asseoir sur un escabeau, ou à utiliser de la vaisselle d'or ou d'argent, ce que nul n'osait faire sans en avoir obtenu la permission de l'Inca et à quoi on attachait beaucoup d'importance ». Ces dons étaient d'autant plus appréciés que l'Inca veillait à ce que « ceux qui venaient du Collao reçussent des choses apportées des Andes et, à ceux du Cunti-suyu, il donnait des articles provenant d'autres régions, de ces choses qui manquaient dans leurs terres. Ce que les uns lui avaient donné, il en faisait don aux autres, si bien que la plus grande partie de ce qui avait été apporté se consommait entre eux et avec ces produits il leur faisait fête et se réjouissait avec eux. Ceux qui méritaient un châtiment étaient punis avec rigueur et les autres étaient renvoyés avec affection ». *(Discurso de la sucesión y gobierno de los Incas.)*

Les fils des *curaca* qui étaient destinés à leur succéder étaient obligés de résider à la cour. Ils y étaient à titre d'otages et répondaient du loyalisme de leur père mais, par la même occasion, ils s'initiaient à la civilisation et à l'administration inca et formaient une pépinière de futurs *curaca* et de fonctionnaires, prêts à devenir les fidèles instruments de la politique impériale. Les pharaons, et plus tard les Césars, n'agissaient pas autrement lorsqu'ils s'efforçaient d'éduquer à l'égyptienne ou à la romaine les fils des rois ou des chefs barbares.

A la mort d'un *curaca*, l'héritier n'assumait le pouvoir que si l'Inca qui le connaissait personnellement lui donnait l'investiture. Les chefs régionaux auraient aussi été représentés à la cour par des sortes d'ambassadeurs qui informaient le souverain de ce qui se passait dans le territoire de leur maître.

Si parfait que puisse paraître ce système hiérarchique à base décimale, il faut croire qu'il n'inspirait au souverain qu'une confiance limitée, puisqu'il cherchait à exercer un contrôle direct sur ses gouverneurs et sur les *curaca* locaux. A intervalles plus ou moins réguliers, ou lorsque les circonstances l'exigeaient, l'Inca envoyait des *tokoyrikok*, « ceux qui voient tout », véritables *missi dominici*, pour inspecter les provinces, vérifier la rentrée régulière des impôts et les effectifs réels des contingents de soldats ou de travailleurs levés par son ordre. Les « yeux du roi » appartenaient presque toujours à la caste des Incas et recevaient de lui un insigne qui attestait le caractère officiel de leur mission. Représentants de l'empereur, ils étaient logés et nourris par les autorités locales. Partout où ils s'arrêtaient, ils procédaient à des enquêtes sur la conduite des divers fonctionnaires et s'informaient des crimes commis dans la région. Leurs rapports déterminaient souvent l'envoi de juges spéciaux chargés de réprimer les délits ou les fautes signalés.

Lorsque l'Inca visitait une province, il assumait automatiquement tous les pouvoirs. Il décidait aussi bien des travaux publics à entreprendre que des peines à infliger. De leur côté, les gouverneurs se substituaient à leurs subordonnés s'ils l'estimaient nécessaire. A l'exemple de leur maître, ils avaient autour d'eux des conseillers et des serviteurs auxquels ils se fiaient entièrement et auxquels ils déléguaient une partie de leurs pouvoirs dès qu'ils craignaient d'être désobéis ou mal secondés aux échelons inférieurs. La structure administrative de l'Empire se caractérisait donc par l'existence de cadres hiérarchisés et par un système parallèle de contrôles directs exercés par des agents et dignitaires ne relevant que de la personne royale. Il y avait donc chez les Incas, comme dans beaucoup d'États totalitaires, une bureaucratie, elle-même objet d'une surveillance constante.

Les attributions des fonctionnaires étaient mal définies et s'étendaient aux domaines les plus variés. A part les *quipukamayoc,* comparables aux scribes égyptiens, il ne s'agissait en aucune façon de spécialistes. Selon l'occasion, ils étaient percepteurs d'impôt, généraux, ingénieurs, législateurs, policiers et surtout juges. Cette gamme de fonctions devenait plus restreinte à mesure que l'on se rapprochait des échelons inférieurs, les décurions n'étant plus guère que des contremaîtres.

La justice était rendue selon le droit coutumier de chaque province, car, contrairement aux affirmations des chroniqueurs, il est peu vraisemblable que les Incas aient imposé une législation uniforme à tous leurs peuples, sauf dans les domaines qui touchaient à l'autorité impériale. Tout acte portant atteinte au prestige ou au pouvoir de l'Inca était châtié avec la plus grande rigueur. La rébellion ou même la tentative de rébellion, le simple soupçon d'avoir cherché à ensorceler l'empereur, le refus de payer le tribut, un vol commis au détriment de l'État, autant de crimes majeurs qui étaient du ressort de juges spéciaux délégués par l'Inca et qui s'expiaient par la mort précédée de tortures.

Séduire une Vierge du Soleil était également tenu pour une

atteinte à la majesté de l'Inca. Lorsque Pizarro et ses compagnons arrivèrent à Cajas, ils virent, près d'un « édifice habité par cinq cents femmes occupées à rien d'autre qu'à filer et à préparer un vin de maïs », les cadavres d'individus pendus par les pieds. S'étant enquis du crime commis par ces malheureux, il leur fut expliqué qu' « un homme s'était introduit auprès d'une de ces femmes et avait été mis à mort, ainsi que les portiers qui avaient toléré la chose ». Le chef de village réprimait les délits mineurs et, tel un juge de paix, s'efforçait de maintenir l'entente entre les familles. Il devait arbitrer les querelles de bornage ou les disputes qui éclataient à propos de la distribution des eaux. Le vol, par contre, était un crime grave ; ceux qui s'en étaient rendus coupables, à moins d'avoir agi par nécessité, étaient battus avec une pierre et, en cas de récidive, jusqu'à ce que la mort s'ensuive, si le gouverneur provincial y consentait.

Quels que fussent les jugements rendus et exécutés, ceux qui les avaient prononcés devaient en informer leurs supérieurs hiérarchiques et ainsi, grâce à la filière administrative, l'empereur, en théorie, finissait par connaître des principaux crimes perpétrés dans les plus lointaines provinces.

La procédure observée dans l'Empire est mal connue. Les gouverneurs jugeaient en présence de tous ceux qui, de près ou de loin, étaient affectés par le cas. On usait de la torture pour obtenir des aveux et, à défaut, de la divination. Le coupable était frappé sur le dos avec une grosse pierre.

Une des méthodes les plus efficaces auxquelles recoururent les Incas pour cimenter leur Empire fut celle des déplacements de populations, qui furent nombreux et vastes. Si les habitants d'une région, récemment soumise, manifestaient un esprit de rébellion et inspiraient des inquiétudes, l'Inca y établissait des colons choisis parmi des peuples d'une loyauté éprouvée. Les indigènes devaient pourvoir à leurs besoins pendant deux ans, et les produits des dépôts de l'État étaient mis à leur disposition jusqu'au moment où, ayant construit leurs villages et défriché leurs champs, ils retrouvaient leur autonomie économique. Les colons, *mitima*, restaient fidèles à leur costume national, à leur langue et dépendaient du gouverneur de la province.

Bien qu'ils ne pussent être confondus avec les garnisons militaires, ils assumaient parfois les mêmes fonctions de surveillance. On prétend même qu'afin de déjouer tout complot se tramant dans l'ombre, ils avaient le droit d'épier les autochtones jusque dans leurs maisons. Comme les *mitima*, une fois enracinés dans leur nouvel habitat, se suffisaient à eux-mêmes, ils constituaient une véritable armée d'occupation qui ne coûtait rien à l'État et qui ne pressurait pas les vaincus.

En certains cas, une population turbulente était déportée dans quelque canton de l'Empire où l'autorité de l'Inca était indiscutée. Les déportés, qu'ils fussent de loyaux sujets ou des rebelles, partaient sans espoir de retour, emportant leur dieux familiaux avec eux. De terribles châtiments attendaient ceux qui eussent été tentés de retourner chez eux.

L'importance prise par ces déplacements de familles ou de communautés entières se manifeste par le nombre d'allusions faites aux *mitima* dans les descriptions que les administrateurs espagnols nous ont laissées des territoires soumis à leur juridiction. A chaque instant, il est question de villages habités par des Indiens qui y avaient été établis par l'un des conquérants incas. A l'époque coloniale, les colons réclamaient un traitement différent de celui imposé aux autochtones. Aujourd'hui encore, on trouve des communautés dont les membres se disent les descendants de *mitima* et originaires du Pérou central.

On a voulu voir dans ces déportations massives la réalisation d'un plan systématique pour intégrer tous les peuples de l'Empire dans une masse homogène. Les *mitima* auraient été des instruments de cette politique d'assimilation. L'insistance que mettaient les nouveaux venus à se distinguer des populations indigènes et la situation privilégiée accordée à ceux qui venaient du cœur de l'Empire sous la conduite d' « oreillards », c'est-à-dire de membres de lignages impériaux, contredisent une telle interprétation.

L'ordre inca a été trop prôné dans le passé pour qu'une réaction en sens contraire ne se manifestât pas. S'il a été de mode d'exalter une administration assez puissante pour avoir introduit partout des institutions uniformes, aujourd'hui on tend à souligner les différences locales et la persistance des coutumes et des structures régionales. Le despotisme inca apparaît comme plus théorique que réel, et on doute de l'efficacité du contrôle qu'il exerçait. La vérité se situe sans doute entre ces deux extrêmes. Le *Tahuantinsuyu*, « les quatre quartiers », s'il n'a pas été un État entièrement centralisé, au moins s'est voulu tel. Il serait injuste de refuser aux Incas un certain sens de la planification économique et sociale. Les textes ont beau se prêter à des interprétations multiples, le système routier établi par les souverains du Cuzco est encore là pour attester leur volonté d'unifier et de gouverner l'ensemble de leurs conquêtes.

Parmi tous les signes d'une haute civilisation que les Espagnols surpris notaient à mesure qu'ils pénétraient plus profondément dans l'empire des Incas, aucun ne les étonna autant que la qualité des routes. Ils les mentionnent avec éloge dans leurs premiers rapports, s'extasiant sur leur largeur — huit cavaliers pouvaient y avancer de front — sur les murs qui les bordaient, sur les tronçons pavés, sur les ruisseaux qui coulaient le long de la chaussée et enfin sur les arbres qui offraient leur ombre aux voyageurs. Les conquistadors auraient été plus admiratifs encore s'ils avaient su, comme ils l'apprirent plus tard, que la route côtière se prolongeait sur deux mille cinq cents milles et conduisait au cœur du Chili. Plus tard, ils découvrirent la route qui, à travers montagnes, vallées et plateaux, unissait l'Équateur à l'Argentine. Des routes transversales allant des terres hautes à la mer complétaient un réseau routier dont la longueur totale a été estimée à seize mille kilomètres.

On est en droit de s'étonner que tant d'efforts aient été déployés pour construire des chemins destinés aux piétons et à leur seule bête de somme : le lama. Était-il nécessaire de les faire si larges et de leur donner une surface aussi unie et aussi solide ? N'y avait-il pas dans tout cela un élément gratuit ou, plus exactement, somptuaire, que seule expliquerait la vanité de despotes disposant de véritables armées de travailleurs ? Ces routes, ainsi que les monuments mégalithiques des Incas, nous rendent conscients de la prodigalité avec laquelle les souverains du Cuzco ont dépensé et même gaspillé leur principale richesse, la force, la patience et le temps de l'*hatun-runa*, le paysan andin.

Les rivières des Andes, profondément encaissées et sujettes à des crues violentes, posaient aux Incas un problème difficile. Ils n'avaient pas, à portée, des arbres dont ils auraient pu tirer parti pour construire des ponts et, le principe de l'arche leur étant inconnu, ils ne pouvaient songer à utiliser la pierre. Ils surmontèrent ces obstacles grâce aux ponts suspendus dont l'usage s'est maintenu au Pérou jusqu'à une date récente. Des câbles en fibres de *cabuya*, « gros comme une cuisse », étaient tendus d'une rive à l'autre où ils étaient fixés à des poutres et s'appuyaient, pour plus de sûreté, à des pylones en pierre. Un réseau de cordes plus fines unissait les cables, formant rampes et tablier. Les Espagnols, tout en admirant l'ingéniosité des Indiens, avouent qu'ils ne s'engagèrent qu'en tremblant sur ces ponts que les vents secouaient et qui, vers le milieu, ployaient dangereusement. Toutefois, ils réussirent à y faire passer leur cavalerie.

Les populations voisines du passage avaient l'obligation de maintenir les ponts en bon état et d'en renouveler les éléments à de courts intervalles. Elles s'acquittaient scrupuleusement de cette tâche puisque le pont sur l'Apurimac, construit au XVe siècle, n'a été délaissé qu'en 1890.

Le long des routes, à des distances variant entre quinze et vingt-cinq kilomètres, les voyageurs trouvaient un *tambo*, mot que les Espagnols traduisirent par « auberge ». C'était un simple hangar ou des corps de bâtiments construits autour d'une cour ou d'un enclos. L'Inca et ses fonctionnaires s'y logeaient et y trouvaient des provisions et du combustible entreposés par les communautés voisines responsables de l'entretien de ces postes. Dans un pays de déserts et de montagnes, l'utilité de ces caravansérails était trop évidente pour avoir échappé aux Espagnols qui, dix ans après la conquête, en avaient dressé la liste complète et avaient pris des mesures pour leur conservation.

Enfin, aucun doute sur l'efficacité de l'administration inca ne résiste à la description qui nous a été faite de leur service des postes. Les villages situés le long des routes devaient fournir des *chasqui*, messagers, choisis pour leur agilité et leur endurance. Ils étaient installés dans des cabanes placées à de courtes distances de façon à ce que le trajet entre elles pût être couvert au pas de course. Pour ne pas perdre une minute, le *chasqui* annonçait son arrivée en sonnant de la conque afin que le coureur du prochain relais, alerté, puisse venir à sa rencontre, recevoir le message et partir. Les nouvelles circulaient ainsi avec la plus grande rapidité. Il ne fallait pas plus de cinq jours à l'Inca, dans sa résidence du Cuzco, pour obtenir des nouvelles de Quito, à mille deux cent cinquante milles. C'était par ce moyen que l'empereur était informé des révoltes qui éclataient sur son territoire ou des attaques qui menaçaient ses frontières les plus lointaines.

Mettons en regard du système économique et politique décrit ici, la définition célèbre que Bertrand Russell a donnée du socialisme : « Le socialisme signifie la propriété commune de la terre et du capital sous une forme démocratique de gouvernement. Il implique la production dirigée en vue de l'usage et non du profit, et la distribution des produits, sinon également à tous, du moins avec les seules inégalités que justifie l'intérêt public. »

L'empire des Incas ne répondait guère à ces caractéristiques : soumis au despostisme d'une caste, ses tendances aristocratiques s'étaient accentuées par suite de la consécration que l'autorité des roitelets et des chefs locaux avait reçue des conquérants. En outre, aux privilèges traditionnels dont les *curaca* jouissaient, s'étaient ajoutés ceux dérivant de leur condition de fonctionnaires de l'Inca. Une distance accrue les séparait donc de leurs anciens sujets. Le collectivisme agraire n'existait qu'au niveau des communautés, *ayllu*, et représentait un système ancien dont l'équivalent se retrouve dans le Vieux comme dans le Nouveau Monde. Ainsi est-ce un anachronisme bien singulier que d'appliquer à la propriété collective des sociétés néolithiques un terme propre aux seules sociétés industrialisées.

La production n'était que partiellement affectée aux besoins des sujets, tout le surplus revenant à une caste dominante et à son administration. Une partie de l'excédent était certes redistribuée sous forme, soit de vivres et d'équipement alloués aux équipes de travailleurs et aux soldats, soit de présents faits aux nobles, au clergé et aux fonctionnaires. L'aide aux vieillards et aux infirmes, que l'on serait tenté de comparer à notre sécurité sociale, était un devoir du village et non de l'État. Cette obligation exprimait simplement la vieille solidarité de groupe qui est aujourd'hui encore présente chez les agriculteurs primitifs de l'Amazonie et chez les paysans du Pérou moderne.

Le socialisme, comme ses théoriciens l'ont souligné, ne se limite pas à la propriété commune, mais exige qu'elle soit au service de la collectivité. Dans l'Empire inca, le tribut payé en services personnels et en objets ouvrés profitait à une caste dont il accroissait la richesse et la puissance.

La tradition classique dont relevaient les chroniqueurs espagnols s'est imposée aux historiens et sociologues modernes qui, à l'envi, ont comparé l'empire des Incas à la Rome antique, aux États modernes et aux Républiques d'Utopie, mais n'ont guère songé à le rapprocher des États qui ont existé ou qui existent encore chez les peuples qualifiés, bien à tort, de « primitifs ».

Entre l'empire des Incas et l'ancien royaume du Dahomey par exemple, il existe plus d'une analogie. Cet État fut fondé à la suite de conquêtes successives faites par les souverains d'Abomey. Il était doté d'une organisation interne qui a souvent été donnée en exemple du génie administratif dont pouvait faire preuve un peuple à un stade de civilisation archaïque. Comme les Incas, les rois du Dahomey respectèrent l'autonomie des communautés agraires et laissèrent en place les chefs traditionnels. Ceux-ci, de même que les caciques indiens, furent intégrés à une hiérarchie de fonctionnaires qui, au plus haut échelon, se recrutaient dans la famille royale. Le souverain du Dahomey, lui aussi, tenait à être informé des ressources de son État et faisait procéder à des recensements de la population, divisée en classes d'âge. La levée des impôts et des troupes s'opérait avec la plus grande rigueur. L'État était craint et obéi. Les envoyés du roi, les *recadères*, jouissaient de la même autorité que les *tokoyrikok*, les inspecteurs de l'Inca. Les femmes que les villages fournissaient au roi étaient embrigadées dans une armée féminine au lieu d'être enfermées dans des « couvents » pour servir la noblesse ou les dieux, selon l'usage péruvien. Ces analogies ne sont signalées ici qu'à titre d'exemples. Elles contribueront à démontrer qu'une administration de type bureaucratique peut fort bien se développer chez un peuple sans écriture, qu'il soit américain ou africain.

Les conquistadors, habitués à combattre des Indiens « nus et sauvages », furent éblouis par des manifestations de haute civilisation chez des peuples qu'ils étaient naturellement enclins à traiter en barbares irrationnels. Ils furent en particulier frappés par la discipline qui régissait l'Empire. Plus tard, l'ordre ancien apparut d'autant plus juste et humain que celui introduit par les Espagnols était marqué d'infortunes et de cruautés. Devant les horreurs de la conquête et de la colonisation, le despotisme des Incas se mua, dans le souvenir, en âge d'or. Il l'était dans la mesure où les empereurs du Cuzco plus, sans doute, par la force des choses que par sagesse, ménageaient leurs sujets et, en faisant régner la *pax incaica,* assuraient leur prospérité et leur bonheur.

La religion

La religion des Incas, pour autant qu'elle nous est connue, se présente comme un amalgame de cultes naturistes, de fétichisme élémentaire, de croyances animistes, d'envolées théologiques et de cérémonies complexes et raffinées fortement teintées de magie. Elle était un peu à l'image d'un État où des structures sociales et économiques encore archaïques s'intégraient à un système administratif déjà rationnel et où les civilisations les plus diverses tendaient à se fondre dans un même creuset.

Le culte solaire en était la principale caractéristique. *Inti*, le Soleil, ancêtre de la dynastie, fut promu au rang de dieu d'Empire. Sa souveraineté céleste faisait pendant au pouvoir terrestre du Sapa Inca. Son adoration se confondait avec les hommages dus à son fils. C'est donc à la fois par piété et par politique que les Incas faisaient élever des temples à Inti dans toutes les provinces conquises. On en a conclu que, tels les rois catholiques et les khalifes musulmans, ils brûlaient du feu du prosélytisme et avaient à cœur d'imposer aux « barbares » une religion supérieure. Ce sont là des analogies trompeuses et, une fois encore, nous sommes victimes des chroniqueurs espagnols, prompts à prêter aux Indiens leurs propres motifs. Comme les pharaons, les Incas, en instaurant

doles en or.

dans leur Empire le culte du Soleil, ont donné à leur impérialisme une sanction religieuse et cherché à créer un lien entre eux et les peuples soumis. Ils n'étaient pas hostiles aux religions locales, mais exigeaient que dans chaque province une place privilégiée fût accordée à leur ancêtre, le Soleil.

De tous les dieux incas, le Soleil était celui qui était servi par le plus grand nombre de prêtres et de « femmes choisies », quatre mille en tout, au Cuzco. C'est lui aussi qui possédait le plus de terres et de troupeaux et qui recevait les offrandes les plus riches en or, en argent et en tissus. Au retour d'une campagne heureuse, les empereurs lui attribuaient une partie de leur butin. Pachacuti, ayant triomphé des Collas de la Bolivie, « donna beaucoup de choses qu'il avait rapportées à la maison du Dieu Soleil et aux momies de ses ancêtres qui s'y trouvaient ». Le clergé du Soleil était entouré de plus de prestige que celui des autres dieux, et l'influence qu'il exerçait était aussi plus forte.

Le grand temple du Soleil, au Cuzco le fabuleux *Coricancha*, l'enceinte d'or, était un édifice somptueux, l'équivalent pour les Incas du temple de Salomon ou de Saint-Pierre pour les catholiques. Il attirait d'innombrables pèlerins et servit de modèle aux sanctuaires provinciaux.

Si les dimensions en étaient impressionnantes et la maçonnerie de ses murs particulièrement belle, la conception architecturale n'en demeurait pas moins très élémentaire. Il consistait en un ensemble d'édifices rectangulaires, véritables hangars recouverts de chaume, disposés à l'intérieur d'une vaste enceinte. Le plan était identique à celui des maisons privées habitées par un groupe familial. Le sanctuaire était situé dans la ville basse, entre les rios Huatanay et Tullumayo, sur une terrasse dont les murs de soutènement, prolongés vers le haut, contenaient les demeures des dieux et des prêtres. Les murs d'enceinte, qui mesuraient près de quatre cents mètres, ainsi que les sanctuaires qu'ils enserraient, portaient à l'extérieur une frise de trente à quarante centimètres de hauteur, faite de minces plaques d'or clouées contre la maçonnerie. Les parties effleurées par les rayons du soleil étaient d'un or plus pur que celles qui restaient dans l'ombre. Dans le Coricancha, il y avait un petit jardin que l'Inca défrichait symboliquement lors de la fête des semailles. On y plantait trois fois par an des tiges de maïs en or, dont les feuilles et les épis étaient de même métal. Ces plantes artificielles, qui figurent dans l'inventaire de la rançon d'Atahuallpa, sont à la source de toutes les descriptions fantaisistes que l'on a faites de ce jardin merveilleux tout en or ; d'or, les arbres, l'herbe, les oiseaux, les insectes et même les gardiens avec leurs lamas grandeur naturelle. Beaucoup d'historiens modernes ont pris au sérieux ces imaginations de romans de chevalerie.

La position assumée dans le panthéon inca par le Dieu Soleil s'explique aisément par des préoccupations dynastiques. Il n'en est pas de même du culte rendu à Viracocha, le Créateur qui, à partir du règne de l'empereur Pachacuti, tend à se substituer à celui du Dieu soleil, relégué au rang de créature ou de « fils » de l'Être suprême. Ce changement dans l'ordre hiérarchique des dieux fut sans doute l'œuvre d'un clergé intelligent, soucieux d'organiser l'univers surnaturel à l'image du monde terrestre et, sans doute, porté aux spéculations théologiques. Les motifs qui déterminèrent l'empereur à appuyer cette réforme sont moins clairs. Quel intérêt Pachacuti pouvait-il avoir à diminuer le prestige de son ancêtre le Soleil au profit du Créateur Viracocha ? A-t-il favorisé son culte par conviction intime ou par politique, afin de placer au-dessus de tous les dieux naturistes un maître dont la puissance serait incontestée, étant celle du créateur lui-même ? Une tradition, dont les chroniqueurs espagnols se sont fait l'écho, veut que Pachacuti (d'autres disent Huayna-Capac) aurait éprouvé de sérieux doutes quant à la prééminence accordée au Soleil. Si cet astre bienfaisant mûrissait les fruits et fertilisait la terre, il ne pouvait prétendre à la domination de l'Univers. Que penser, en effet, d'un dieu contraint de travailler comme un tâcheron et obligé de paraître et disparaître pour faire le jour et la nuit ? « Quel seigneur était-ce donc là ? Des nuages ne le cachaient-ils pas pendant des semaines et même des mois ? » Rien ne prouve que de tels propos, que n'auraient pas reniés les missionnaires catholiques, aient été tenus par Pachacuti ; néanmoins, la dévotion de l'empereur à Viracocha nous est attestée par l'importance que prend brusquement dans la religion officielle le culte de l'Être suprême.

Viracocha était le protecteur particulier de Pachacuti auquel il apparut en songe avant la bataille décisive contre les Chancas. En témoignage de gratitude, Pachacuti lui fit construire au Cuzco un temple où le dieu était représenté par une statue en or « de la taille d'un enfant de dix ans, debout, le bras droit levé avec la main presque fermée, pouce et index dressés comme une personne qui commande ». Pachacuti instaura également le culte de Viracocha « dans les capitales de diverses provinces et fit en sorte que des troupeaux lui fussent assignés ainsi que des serviteurs, des champs et des propriétés ».

La majestueuse figure de Viracocha a de tout temps intrigué les exégètes de la religion inca. On a fait de lui le Dieu suprême du peuple mystérieux qui a élevé les monuments mégalithiques de Tiahuanaco et qui aurait sculpté son image sur le linteau de la Porte du Soleil. Les Incas, héritiers de la civilisation de Tiahuanaco, auraient imposé à leurs peuples le culte de leurs prédécesseurs. Point n'est besoin de recourir à cette filiation pour remonter aux origines du culte de Viracocha. Derrière le « Seigneur ancien, Seigneur lointain, le très excellent Seigneur », se profile un personnage que la mythologie de toutes les tribus indiennes, de l'Alaska à la Terre de Feu, nous a rendu familier. C'est le « Vieux du ciel », le « Faiseur de terre », « l'Ancien », créateur du monde et héros civilisateur. Dans les cosmogonies primitives, il n'est souvent qu'un être falot, une sorte d'ombre grandiose, dont la seule fonction est de fournir une explication de la genèse du monde. Il est généralement flanqué d'un autre être mythique, le « Transformateur », qui parachève son œuvre et enseigne aux peuples les rudiments de la civilisation.

Viracocha, pour autant que sa personnalité se dégage de mythes mal recueillis et confus, est à la fois Créateur, héros civilisateur et Transformateur. Il se manifeste dans plusieurs créations successives. Il fait d'abord le ciel et la terre ainsi qu'une humanité vivant dans les ténèbres. Il la détruit pour une faute non spécifiée et change les premiers hommes en statues de pierre. Dans une seconde épiphanie, il sort du lac Titicaca et crée à Tiahuanaco « le soleil et le jour, la lune et les étoiles ». Il sculpte ensuite dans la pierre « des gens avec des chefs pour les gouverner, des femmes enceintes et d'autres ayant accouché, des enfants aux berceaux », bref l'ensemble des peuples de la terre auxquels il ordonne de se rendre dans les régions qu'il leur assigne.

Le monde ayant été ainsi peuplé par les différentes nations et tribus connues, Viracocha abandonne son rôle de Créateur pour se muer en héros civilisateur. Il donne aux hommes des « préceptes qu'il leur fallait observer sous peine d'être confondus par lui ». Il parcourt les Andes avec un mystérieux compagnon dans lequel nous reconnaissons le « Décepteur » des mythologies indiennes, le personnage brouillon et stupide qui s'oppose au héros civilisateur. « On affirme qu'avant qu'il ne crée les choses, Viracocha eut un fils très méchant, appelé Taguapica, qui contredisait son père en tout. Lorsque celui-là créait des hommes bons, celui-ci les faisait mauvais de corps et d'âme. Le père faisait des montagnes et lui des plaines, et des plaines il faisait des montagnes. Il séchait les sources faites par son père et enfin, lui était en tout contraire. » Après beaucoup d'aventures qui expliquent certaines particularités de la nature, Viracocha, arrivé au bord de la mer, jeta en guise d'embarcation son manteau sur les flots et disparut à l'horizon ; se conformant ainsi au mythe de tous les héros civilisateurs qui, ayant accompli leur tâche et comblé les hommes de bienfaits, s'en vont vers le Soleil couchant pour résider au pays des morts. Généralement, le héros civilisateur prédit son retour soit pour réformer le monde et y apporter un nouveau bonheur, soit au contraire pour détruire son œuvre.

Le Créateur et le Civilisateur est rarement promu dans les tribus indiennes au rang de grand dieu. Si, chez les Incas, il n'a pas été relégué dans quelque lointain empyrée, c'est parce qu'il a été intégré à un panthéon où d'autres dieux avaient une place et un rôle bien définis. Le culte de Viracocha était l'affaire du clergé et de la cour. L'effondrement de l'Empire lui porta un coup fatal. En quelques années, les masses indiennes, qui restèrent si profondément attachées à certains dieux de la nature, et à leurs fétiches locaux, en perdirent le souvenir. Grâce à un ecclésiastique espagnol, le Père Cristobal de Molina qui, en 1575, recueillit au Cuzco une dizaine d'hymnes adressés à Viracocha, la personnalité de ce dieu nous est connue par des documents authentiques. La haute idée que le clergé se faisait du Créateur et le style des prières transcrites en quechua ont fait croire à une influence chrétienne. Le professeur Rowe, qui a réussi à rétablir ces hymnes dans leur version originale, est convaincu qu'il ne doivent rien aux efforts des missionnaires. Formules et termes employés diffèrent profondément de la liturgie chrétienne en langue inca.

Dans ces prières, Viracocha nous est décrit comme le créateur du Soleil et des autres dieux, des hommes et de leur nourriture. Il est compatissant et bon. Où se tient-il ? On ne le sait. Le récitant demande : « Où es-tu ? Dehors ? Dedans ? Dans les nuages ? Dans l'ombre ? Écoute-moi, réponds et consens. »

On lui demande de protéger les récoltes contre les gelées et la grêle, de multiplier les hommes et leurs ressources. On attend de lui qu'il veille sur l'Inca qu'il a créé, qu'il lui accorde de triompher de ses adversaires et de riches dépouilles. « Que son peuple et ses serviteurs se multiplient. Qu'il écrase ses ennemis. Pour toujours et toujours garde ses fils et ses descendants en paix, ô Seigneur. »

Chacune de ces prières trahit un profond besoin de paix et de sécurité : « Puissé-je vivre en paix et en sécurité. Fais que ton peuple vive en paix et en sécurité. Ceux que tu as créés, garde-les, tiens-les par la main... » Il lui est également rappelé qu'ayant créé les hommes, il lui incombe de s'occuper d'eux et de veiller à leur bonheur.

Voici la traduction de deux prières adressées à Viracocha, dont le texte nous a été conservé par Cristobal de Molina :

« O Seigneur, heureux, fortuné, Seigneur victorieux, qui a pitié des hommes, qui leur montre de l'affection, fais que les gens qui te servent, les pauvres, les malheureux, ceux que tu as créés et établis, vivent en paix et en sécurité avec leurs enfants, leurs fils, marchant sur la droite route, ne leur suscite point de tentations, puissent-ils vivre de longues années, sans interruption, sans cassure, fais qu'ils continuent à manger, fais qu'ils continuent à boire. »

« O Seigneur ancien, Seigneur lointain, très excellent Seigneur
Qui a créé et établi toutes choses
Disant : Que l'homme soit, que la femme soit
Modeleur, Créateur,
De même que tu as fait et établi les hommes
Puissé-je vivre paisiblement et en sécurité
Seigneur, Seigneur généreux, Seigneur diligent, très excellent Seigneur,
Multiplie ton peuple
Accrois le nombre de tes enfants et multiplie leur nombre... »

Les prières citées plus haut comptent parmi les rares vestiges de la poésie liturgique inca ayant survécu au grand naufrage de leur civilisation. Il faut ajouter à ces épaves un hymne à Viracocha miraculeusement conservé par un historiographe indien du XVIIe siècle, Yamqui Salcamaygua Pachacuti. Ce texte, souvent reproduit, a été comparé pour la profondeur de la pensée et l'envolée lyrique aux plus beaux psaumes. Sa beauté est indiscutable, bien qu'il ait bénéficié de quelques coups de pouce et d'interprétations très libres donnés à des passages obscurs. La version française ci-dessous reproduit la traduction espagnole qu'en a faite récemment un excellent spécialiste du quechua, J.-M. Arguedas. Ce qu'elle a perdu en clarté ou en charme, elle l'a gagné en authenticité. Il suffit de mettre en regard cette traduction et les prières à Viracocha recueillies par Molina en 1575 pour s'apercevoir qu'elles appartiennent toutes à un même genre littéraire et à une même tradition religieuse.

« A Viracocha, pouvoir de tout ce qui existe, qu'il soit mâle ou femelle,
Saint, Seigneur, Créateur de la lumière naissante. Qui es-tu ? Où es-tu ?
Ne pourrais-je te voir ? Dans le monde d'en haut, dans le monde d'en bas,
De quel côté du monde se trouve ton trône puissant ?
De l'océan céleste ou des mers terrestres, où habites-tu ? Pachacamac,
Créateur de l'homme,
Seigneur, tes serviteurs avec leurs yeux tachetés désirent te voir...
Le soleil, la lune, le jour, la nuit, l'été, l'hiver ne sont pas libres.
Ils reçoivent tes ordres, ils reçoivent tes instructions. Ils viennent vers ce qui est déjà mesuré...
Où et à qui as-tu envoyé le sceptre brillant ?
Avec une bouche réjouie, avec une langue réjouie, de jour et de nuit tu appelleras. Jeûnant, tu chanteras d'une voix de rossignol.
Et peut-être dans notre joie, dans notre bonne fortune, de n'importe quel coin du monde, le Créateur de l'homme, le Seigneur tout-puissant t'écoutera...
Créateur du monde d'en haut, du monde d'en bas, du vaste océan, Vainqueur de toutes choses, où es-tu ? Que dis-tu ? Parle, viens, Véritable d'en haut, Véritable d'en bas, Seigneur, modeleur du monde, pouvoir de tout ce qui existe, seul Créateur de l'homme, dix fois je t'adorerai de mes yeux tachetés.
Quelle splendeur !
Je me prosternerai devant toi. Regarde-moi, Seigneur, fais attention à moi !

Et vous, rivières, cascades, et vous, oiseaux, donnez-moi votre force et tout ce que vous pouvez, aidez-moi à crier avec vos gorges, avec vos désirs, et nous remémorant tout, réjouissons-nous, soyons heureux. Et, ainsi gonflés, nous partirons. »

Ces hymnes étaient chantés. Aucun fragment de pièce musicale d'origine incaïque certaine n'a pu nous parvenir. Les interdictions qui ont immédiatement frappé la célébration du culte de Viracocha ou du Soleil et l'accomplissement des rituels traditionnels, la pénétration dès le XVIe siècle de la musique espagnole ont abouti à une transformation profonde de la musique autochtone. C'est donc sous une forme métissée, où se combinent les éléments locaux et étrangers, que nous entendons le plus souvent la musique qualifiée d' « incaïque ».

Toutefois, la musique inca a eu la fortune de ne pas disparaître entièrement. Grâce à la tradition orale, elle a partiellement survécu et l'originalité de sa structure nous permet de la distinguer encore de celle influencée par l'Europe. Corroborant les résultats de l'analyse des chants modernes, les instruments à vent d'époque portent témoignage des échelles utilisées par les anciens Péruviens. Celles-ci sont toujours pentatoniques. Les traits les plus caractéristiques du pentatonique péruvien sont, d'après M. et Mme d'Harcourt : 1) la courbe descendante des mélodies. 2) la fréquence de l'échelle

Flûte de Pan en pierre.

sol-mi-ré-do-la, caractérisée par l'intervalle de tierce mineure *(do-la)* qui termine souvent les mélodies de ce mode. 3) les grands *sauts* d'intervalles au cours du développement. gique préconisée par C. Brailoriu) ; 3) les grands *sauts* d'intervalles au cours du développement.

De la composition des grands ensembles vocaux, nous ne savons rien. Nous pouvons seulement supposer, étant donné son absence actuelle dans la musique andine, que les Incas ignoraient la polyphonie et qu'hommes et femmes chantaient à l'unisson.

Après Inti, le Soleil, et Viracocha, la divinité la plus révérée par les Incas était Inti Illapa, le Tonnerre, lanceur de foudre, le maître de la grêle et de la pluie. Il parcourait les espaces célestes, armé d'une massue et d'une fronde dont le bruit sec, au moment où il lançait son projectile, était perçu comme le grondement de l'orage. Les Indiens voyaient sa silhouette dans le ciel, dessinée par les étoiles de la Grande Ourse, à proximité d'une rivière, la Voie lactée, où il puisait l'eau qu'il répandait sur la terre. Dans un poème religieux inca qui nous a été conservé par Garcilaso, l'origine de la pluie est expliquée différemment :

« Belle fille ! Ton frère pluvieux rompt maintenant ta petite cruche ; et c'est pour cela qu'il tonne, qu'il éclaire et que la foudre tombe. Toi, fille royale, nous donneras par la pluie tes belles eaux quelquefois aussi tu fais grêler sur nous et neiger de même Celui qui a fait le monde, le Dieu qui l'anime, le grand Viracocha t'a donné l'âme pour faire cette charge où il t'a établie. »

Illapa, en tant que dispensateur de la pluie, était particulièrement vénéré par les peuples de l'Empire. Ses temples étaient nombreux et, certains d'entre eux, célèbres. C'est sur le sommet des montagnes que les fidèles l'imploraient et lui faisaient des sacrifices lorsque la sécheresse menaçait leurs récoltes. Ses images ou symboles étaient exhibés à côté de ceux du Soleil, sur la grande place du Cuzco, et une effigie le représentant était portée, comme l'Inca, sur un palanquin incrusté d'or. La Lune était révérée en tant que sœur et épouse du Soleil. Le disque d'argent qui la symbolisait était posé à proximité de l'image du Soleil.

Les peuplades primitives de l'Amazonie attribuent aux espèces animales et même végétales un « Maître » surnaturel qui veille à leur multiplication et empêche leur destruction inutile. Chez les Indiens du Pérou, cette croyance avait pris la forme d'un culte rendu à certains groupes d'astres dans lesquels on croyait voir l'image d'un animal céleste, gardien et protecteur de ses congénères terrestres. Notre constellation de la Lyre, par exemple, était un lama près duquel se tenait sa femelle avec un petit. Les bergers leur demandaient la prospérité de leurs troupeaux. De même, un certain nombre d'étoiles de la constellation du Scorpion dessinaient dans le ciel un félin auquel un culte était rendu. Les Pléiades étaient qualifiées de « mère », et leur apparition était saluée par de grandes fêtes.

La religion officielle du Cuzco se distinguait de la religion populaire dont nous nous sommes déjà occupés par le culte rendu aux divinités naturistes anthropomorphisées et figurées par des statues. Les préoccupations théologiques qui ont trouvé leur expression dans la vénération dont Viracocha était l'objet de la part de la caste impériale et du clergé sont restées étrangères à la paysannerie. Cependant, la piété des Incas, comme celle de la plupart de leurs sujets, s'adressait aussi à un nombre considérable de fétiches *(huaca)*, parmi lesquels

A Chachapoyas, figures d'ancêtres.

Huaca, *Kenko, Cuzco.*

figuraient aussi bien des objets naturels (montagnes, collines, lacs, rochers, cavernes) que des édifices (temples, chapelles, palais, piliers ou tombeaux). Beaucoup de ces *huaca* devaient leur caractère sacré à un lien personnel existant entre elles et un Inca. Une maison devenait l'objet d'un culte parce qu'un Inca l'avait construite ou s'y plaisait, tel site passait pour sacré simplement parce qu'un Inca le fréquentait ou y avait dormi. Ainsi, nous est-il dit de la *huaca* Cugitalis « que c'était une plaine où Huayna-Capac rêva d'une certaine guerre. Comme le songe se réalisa, il ordonna que le site fût vénéré ». Une fontaine était décrétée sainte si l'Inca aimait à s'y baigner. « On implorait le génie du lieu pour qu'il ne privât pas l'Inca de ses forces et ne lui fît aucun mal. »

De même que la personne royale conférait un peu de sa sainteté à ces différents objets ou sites, les sacrifices et les offrandes faites aux *huaca* avaient souvent pour but de demander aux « invisibles » la santé, la prospérité de l'empereur ou la victoire sur ses ennemis. Un certain nombre de *huaca* ne tiraient pas les vertus surnaturelles qu'on leur attribuait d'une association réelle ou imaginaire avec la dynastie régnante. La *huaca* Cirocoya, par exemple, était une grotte où, disait-on, la grêle se formait. Les Indiens y déposaient des offrandes pour détourner le fléau de leurs champs. Près du Temple du Soleil, il y avait un site où, selon la croyance locale, les tremblements de terre prenaient naissance. On espérait, par des sacrifices d'enfants et des holocaustes de lamas et d'étoffes précieuses, empêcher ces cataclysmes.

On estimait à près de cinq cents les *huaca* de la ville de Cuzco et de ses environs immédiats. Elles se succédaient selon des axes imaginaires, *zeke*, irradiant du Temple du Soleil. Elles étaient également réparties selon les quatre quartiers de l'Empire et les deux secteurs, « haut » et « bas », de la cité. L'entretien de ces lieux sacrés et les sacrifices qui y étaient faits incombaient aux lignages du Cuzco, soit qu'ils fussent situés sur leur territoire, soit qu'ils fussent, à un titre quelconque, les protecteurs surnaturels de l'*ayllu*.

Il serait futile de se demander gravement, comme le font certains ethnologues, si les Indiens établissaient une distinction entre l'élément spirituel et son support matériel. Sans doute ne se sont-ils jamais posé la question. La *huaca*, quelle qu'elle fût, était un objet sacré. Elle contenait une puissance surnaturelle qu'il était utile de se concilier. Cela seul importait.

Les *huauqui*, ces statues de pierre « frères » des Incas dont ils ne se séparaient jamais, entraient dans la catégorie des *conopa*, ou fétiches protecteurs. Celui de Pachacuti était une image du Dieu du Tonnerre.

La succession des travaux agricoles et des fêtes rendait un comput du temps d'autant plus nécessaire que, les mois étant lunaires, les Incas éprouvaient de grosses difficultés à les harmoniser avec l'année solaire. On ignore comment ils rétablissaient cet équilibre. Afin de déterminer avec plus ou moins de précision l'époque des semailles, un des empereurs, peut-être Pachacuti, fit construire sur la crête d'une montagne à l'ouest du Cuzco, quatre petites tours de pierre, visibles d'une plate-forme située au milieu de la grande place du Cuzco. « Les deux tours du milieu étaient rapprochées. Lorsque le soleil atteignait la première tour, ils se préparaient pour les semailles et lorsqu'il se couchait entre les deux piliers du centre, c'était le moment de semer au Cuzco. »

Il faut accepter avec réserve les assertions de certains chroniqueurs, de Garcilaso de la Vega en particulier, selon lesquelles les Incas auraient su fixer la date exacte du solstice et des équinoxes. Ils ne prêtaient qu'un intérêt secondaire aux phases de la lune, et il est douteux qu'ils aient eu une semaine de dix jours.

Les fêtes religieuses tenaient une grande place dans la vie inca. A chaque mois correspondaient des cérémonies qui duraient plusieurs jours et même plusieurs semaines aux périodes critiques de l'année : solstices, moissons, récoltes, paiement du tribut. Il ne saurait être question ici de compiler les renseignements relativement copieux que l'on peut glaner dans Cristobal de Molina, Cobo et Garcilaso de la Vega sur le déroulement de ces fêtes.

La gloire du Soleil – cet Inca des cieux –, et par ricochet celle de l'Inca terrestre, était exaltée lors du solstice d'hiver austral, en juin. Les *curaca* et les « grands seigneurs du pays » ne manquaient point ces grandioses festivités, appelées *raymi :* ils y « accouraient pour adorer leur Dieu et témoigner leur respect à leur roi ».

Le jour de la fête, l'Inca sortait accompagné de tous ses parents placés selon leur rang et leur âge. Ils se rendaient ainsi à la grande place de l'Huacaypata, « où ils attendaient, nu-pieds, que le Soleil se lève, les yeux tournés vers cet astre. Dès qu'ils le voyaient paraître, ils se mettaient à genoux pour l'adorer. Puis, les bras ouverts, vis-à-vis leurs visages, ils lui donnaient des baisers en l'air en disant qu'ils le regardaient comme leur Père et leur Dieu... Le roi se levait ensuite seul, prenait deux grands vases pleins de leur breuvage ordinaire et, fils aîné du Soleil, il l'invitait à boire avec le vase qu'il tenait de la main droite. Ils croyaient que le Soleil acceptait sa proposition et qu'il invitait l'Inca et tous ses parents à lui faire raison, chose que les Indiens regardaient comme la plus grande preuve de l'amitié et de la bonté. Après que l'Inca avait convié le Soleil, il répandait la liqueur du vase qu'il tenait à la main droite... »

La grande fête de septembre, appelée *sitowa*, est sans doute la plus intéressante, à la fois par les conceptions religieuses qui inspiraient ses rites et par ses éléments dramatiques. A cette occasion, on procédait à des purifications rituelles et à l'expulsion des maux qui menaçaient la ville. Le peuple se portait sur la place et, lorsque la nouvelle lune montait au ciel, tous s'écriaient : « Maladies, désastres, malheurs, quittez ce pays. » Ce cri était repris par toute la ville et par quatre groupes de cent guerriers sur quatre routes correspondant aux quatre points cardinaux. Ces guerriers, armés de pied en cap, s'engageaient en courant sur les routes conduisant vers les « quatre quartiers » de l'Empire. D'autres groupes reprenaient ces imprécations et, lances en main, continuaient à chasser d'invisibles maux jusqu'au moment où, parvenus à environ cinq ou six lieues de la ville, ils plantaient leurs lances « afin de montrer que les maux étaient bornés dans cet endroit et qu'ils ne pouvaient franchir ces limites ».

Leur but atteint, les coureurs se baignaient dans une rivière et y trempaient leurs armes pour que l'eau emporte vers la mer les effluves pernicieux. En ville, tous les habitants, jeunes et vieux, venaient à la porte de leurs maisons pour y secouer leurs vêtements et crier : « Maux, sortez ! Quelle belle fête ! Créateur de toutes choses, faites que nous vivions l'année prochaine et que nous puissions revoir une fête aussi belle ! » Après une nuit passée à danser et à chanter, on allait se baigner dans les sources et les rivières afin de se débarrasser de tout mal. Des porteurs de torches enflammées « chassaient avec leurs flambeaux les maux de la nuit, ayant exterminé avec la lance ceux du jour ». Dans chaque maison, on avait préparé une sorte de pâte de maïs appelée *sanko*, dont les habitants frottaient leur corps, le seuil de leurs demeures et leur garde-manger, toujours dans l'espoir d'expulser « maladies et faiblesses ».

Les statues des grands dieux célestes ainsi que les momies des Incas étaient amenées sur la grand'place du Cuzco et on les « chauffait » (c'est-à-dire, frictionnait) avec le *sanko*. Les temples et les fétiches bénéficiaient du même traitement. Au palais impérial, le plus âgé des oncles de l'empereur s'acquittait de ces rites.

Des lamas blancs, à la laine bien fournie, étaient immolés devant les images des dieux. Leur sang humectait la pâte *sanko* dont le grand prêtre goûtait une bouchée après avoir prononcé des imprécations contre ceux qui participeraient à cette communion « avec deux volontés et deux cœurs », et qui offenseraient les dieux et l'empereur. Tout le monde, sans excepter les enfants et les malades, mangeait un morceau de pâte sanctifiée par le sang des sacrifices.

A la hiérarchie administrative correspondait, dans le domaine religieux, une hiérarchie ecclésiastique dont les Incas s'étaient assuré le contrôle. Le rang des prêtres y variait selon le sanctuaire auquel ils étaient attachés et les fonctions qu'ils y remplissaient. Dans l'ordre sacerdotal, la primauté revenait au grand prêtre du Soleil, le *Vilca-oma*, toujours proche parent de l'Inca – son frère ou son oncle. Soumis à divers tabous, il menait une vie austère dans l'enceinte du Temple du Soleil. Les prêtres qui l'assistaient à la façon d'une sorte de collège étaient tous membres de la noblesse ou issus de familles anoblies.

Dans les provinces, les familles des *curaca* locaux fournissaient les prêtres des temples du Soleil ou des grandes *huaca*. Chaque village affectait des individus au culte de ses dieux locaux. L'importance du clergé dans l'Empire nous est révélée par quelques chiffres. Plus de quatre mille personnes étaient employées au Coricancha à des titres divers. Dans ce chiffre figurent naturellement les prêtres proprement dits, les Vierges du Soleil, les serviteurs de toutes sortes, les bergers des troupeaux du dieu, les porteurs, les balayeurs. On a prétendu que les effectifs du culte étaient plus grands que ceux de l'armée. Nous savons par le conquistador Pedro Sancho que, dans le Temple du Soleil, sur une île du Titicaca, « il y avait six cents Indiens de service et mille femmes occupées à préparer de la *chicha* pour être versée en libation sur la roche sacrée appelée Titicaca ».

Aucune institution incaïque n'a excité autant de curiosité que celle des Vierges du Soleil, dont le nom quechua, *acllacuna*, signifie simplement les « femmes choisies ». Elles se recrutaient parmi les jeunes filles que des fonctionnaires spéciaux choisissaient dans chaque communauté et qu'on enfermait dans certains établissements jusqu'au moment où l'Inca ou son représentant décidait de leur sort. Celles qui ne devenaient pas des concubines de l'empereur ou qui n'étaient pas distribuées aux hauts fonctionnaires ou réservées pour des sacrifices humains étaient rattachées à un temple. Elles y préparaient les aliments cérémoniels, en particulier la *chicha*, que l'on consommait en abondance lors des fêtes. Elles formaient de véritables ateliers d'où sortaient des tissus particulièrement réputés, les fameux *kumbi* en laine de vigogne. Les vêtements fabriqués par les *aclla-cuna* étaient portés par l'empereur et sa famille, par les prêtres ou les idoles, ou étaient offerts en sacrifice. Chaque couvent d'*aclla-cuna* était placé sous l'autorité d'une femme considérée comme l'épouse du Dieu solaire. Le plus grand et le plus célébré de ces établissements, celui du Cuzco, comprenait près de quinze cents femmes.

Les prêtres remplissaient de nombreuses fonctions sans cependant que la diversité de leurs tâches ait toujours impliqué une stricte spécialisation. En tant que sacrificateurs, devins, confesseurs ou médecins, ils portaient des noms différents.

On aurait pu dire des Incas, comme des Romains, qu'ils étaient les plus superstitieux des hommes. Aucun acte important ne s'accomplissait sans un recours préalable à des rites divinatoires. La divination avait également une valeur judiciaire. S'agissait-il de découvrir un coupable, de confondre un accusé récalcitrant qui niait son crime ou un pécheur qui dissimulait sa faute ? On consultait les auspices. C'est dans la pratique de cet art que se manifestent le plus évidemment la survivance du vieux chamanisme andin. Certaines catégories de prêtres s'adressaient aux esprits pour obtenir la révélation de l'avenir ou de choses cachées. La plus spectaculaire de ces consultations était celle où les morts étaient invoqués dans les flammes d'un brasier. On sollicitait leur bienveillance par des sacrifices d'enfants, de lamas blancs et d'objets en or et en argent. La voix des esprits s'élevait alors des flammes qui, activées par le prêtre soufflant dans un tube aux extrémités de cuivre et d'argent, montaient ou descendaient. Ces évocations par le feu étaient destinées à démasquer un traître. Certains temples enfermaient des oracles fameux, tels ceux de Pachacamac et de Lima. Lorsque Fernando Pizarro pénétra dans le Saint des Saints d'où sortait la voix de l'oracle, il n'y trouva qu'un pieu mal dégrossi incrusté d'or.

Tandis que, pour les particuliers, les devins se bornaient à observer la marche des araignées, la disposition des feuilles de coca ou le trajet de la salive qui coulait sur leurs doigts, quand le sort de l'État était en jeu, ils consultaient les entrailles des bêtes sacrifiées. Ils soufflaient aussi dans une trachée

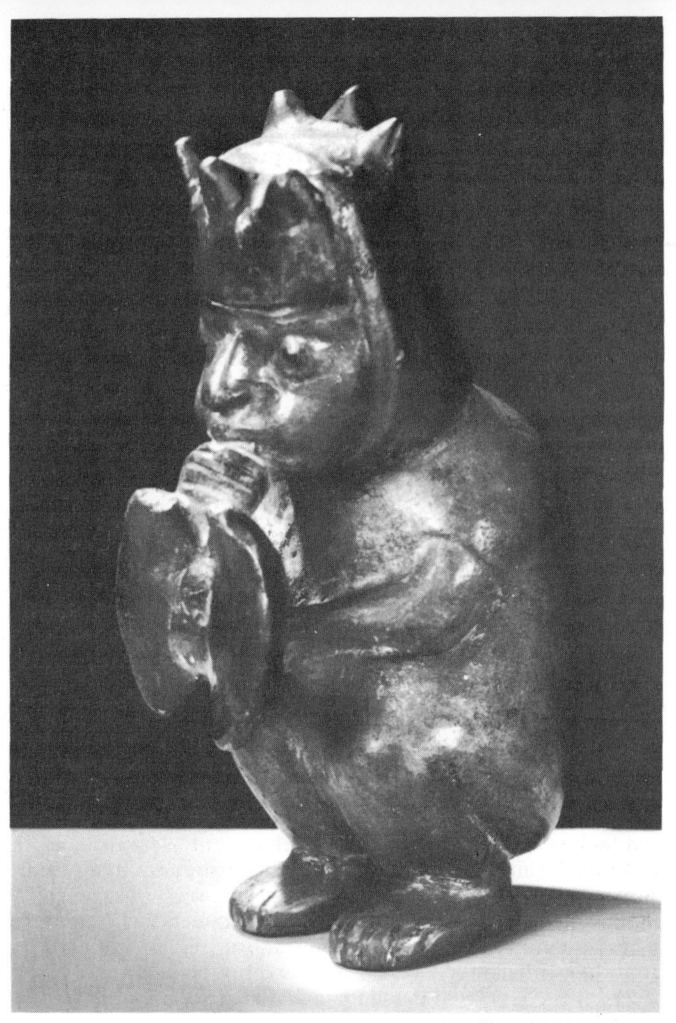

Devin soufflant dans les poumons.

artère de façon à gonfler les poumons d'air et à lire l'avenir dans le tracé des veines. Enfin, selon que le nombre des graines de maïs ou des cailloux dans un tas était pair ou impair, ils en tiraient des conclusions favorables ou non.

Le rite de la confession, que les Indiens observaient en certaines circonstances, a été interprété par les Espagnols comme la parodie diabolique d'un sacrement. En l'assimilant à leurs propres pratiques, ils en ont dénaturé la signification. Ce que les Espagnols appelaient « péchés », représentait pour les Incas des transgressions rituelles ou des délits contre l'ordre social ou naturel, qui provoquaient la colère divine et entraînaient des calamités publiques. Tout acte de sorcellerie, la moindre imprécation contre l'Inca, personnage sacré, appartenaient aux crimes dont on devait soulager sa conscience et pour lesquels une pénitence s'imposait. Que la pluie se fît attendre, qu'une gelée maltraitât les récoltes, que l'empereur fût malade, autant de signes qu'une confession et qu'une expiation étaient nécessaires pour rétablir l'équilibre de la nature. Selon les cas, c'était à un individu ou à la communauté tout entière qu'incombait l'aveu du *hocha* (faute rituelle). On s'y préparait par des jeûnes qui duraient cinq jours. Le prêtre écoutait le pénitent et le pressait de ne lui rien celer. D'ailleurs, si ce dernier cherchait à biaiser, l'examen des entrailles d'une victime, ou quelque autre procédé divinatoire, aurait suffi à le démasquer. Le confesseur frappait de petits coups de pierre le dos du pénitent, prononçait des prières, puis tous deux crachaient sur une poignée d'herbe qui était jetée dans le courant d'une rivière. Parfois aussi le coupable se lavait de ses fautes dans l'eau et observait divers interdits religieux.

Les champs et les troupeaux appartenant aux sanctuaires fournissaient une grande partie des sacrifices offerts aux dieux. Par contre, c'est de leurs propres ressources que dépendaient les personnes qui souhaitaient se concilier la divinité. La nature du sacrifice exigé était déterminée par des moyens divinatoires.

Le lama était l'animal sacrificiel par excellence. Le nombre, la robe des victimes obéissaient à des règles minutieuses dont la connaissance constituait le plus clair de la science sacerdotale. Le Soleil demandait des lamas blancs, Viracocha, des bruns, et le Tonnerre, des animaux bicolores. La bête était promenée autour de l'effigie du dieu et c'est vers elle que sa tête était tournée pendant qu'elle était égorgée. Le sang, recueilli dans un vase contenant diverses farines, était jeté aux quatre points cardinaux. Quand il s'agissait d'une petite divinité locale, ou, quand le suppliant n'était qu'un pauvre paysan, le dieu se contentait de cochons d'Inde.

Les apologistes de la civilisation inca, dont Garcilaso de la Vega, ont jeté un voile pudique sur les sacrifices humains qui étaient pratiqués de façon courante, soit en les niant, soit en diminuant leur importance. Les Incas ne se sont jamais complu aux hécatombes des Aztèques, mais ils n'en immolaient pas moins des victimes humaines à leurs grands dieux et à leurs principales *huaca*. En plus des sacrifices qui se faisaient régulièrement, des hommes, des jeunes filles et surtout des enfants étaient sacrifiés chaque fois que la protection divine paraissait nécessaire : à l'avènement d'un nouvel Inca, si le souverain était gravement malade, si une région avait été ébranlée par un fort tremblement de terre, s'il y avait eu éclipse de lune ou de soleil ou si quelque calamité menaçait l'Empire. Les enfants que les provinces livraient aux sanctuaires impériaux pour y être immolés faisaient partie du tribut auquel elles étaient astreintes. Les petites victimes devaient avoir un corps sans défaut, la moindre tache sur la peau les disqualifiait. Avant d'être mis à mort les enfants étaient bien traités. Le jour du sacrifice venu, on leur donnait à manger et s'ils étaient encore petits, leur mère les allaitait « pour qu'ils n'arrivent pas affamés et mécontents là où se tenait le Créateur ». La plupart d'entre eux étaient enterrés vivants. En certains cas, on leur ouvrait la poitrine pour leur arracher le cœur, à la façon mexicaine. On offrait le cœur palpitant à l'idole et on traçait sur sa face, d'oreille à oreille, un large trait sanglant. Les corps étaient ensevelis dans un cimetière spécial à proximité du sanctuaire. Quelques-uns de ces charniers ont été retrouvés par les archéologues, notamment à Pachacamac, sur la côte.

Parmi les contingents de jeunes filles que les provinces fournissaient à l'Inca, un certain nombre étaient tôt ou tard destinées à être sacrifiées aux dieux. Chaque année, lorsque sur le tribut on prélevait la part des sanctuaires provinciaux, on attribuait aux principaux d'entre eux des victimes humaines. Près des temples, il y avait des enclos où elles étaient enfermées en attendant le jour de la fête où, parées de bijoux et portant leurs plus beaux vêtements, elles étaient conduites devant l'image du dieu pour être étranglées ou égorgées. On leur faisait boire de la *chicha* pour les étourdir et on leur répétait qu'elles « étaient appelées à servir le dieu dans un endroit glorieux ».

Les aliments offerts aux dieux étaient jetés dans les flammes d'un bûcher allumé avec des braises provenant d'un feu sacré

Conopas.

qui brûlait en permanence dans l'enceinte du Coricancha et était alimenté par des bûchettes sculptées dans un bois aromatique. Des paniers contenant des feuilles de coca étaient également brûlés en l'honneur des dieux. C'était là une offrande de grand prix, puisque seuls l'Inca et ses familiers consommaient cette plante, censée posséder des vertus mystiques.

Une prodigieuse quantité de tissus était sacrifiée aux *huaca*. A côté d'étoffes *kumbi*, en laine de vigogne, on vouait aux flammes des vêtements en miniature qui habillaient des images en bois. Des figurines en or ou en argent étaient enterrées dans les sanctuaires ou accrochées à leurs parois, en guise d'offrandes. Enfin, on se conciliait les dieux par des dons de coquillages, *mullu*.

Les libations se faisaient avec de la *chicha*, soit qu'on en aspergeât le sol des doigts, soit qu'on en versât des rasades devant le dieu. Au Cuzco, l'empereur vidait des gobelets de *chicha* dans une cuve en pierre recouverte de plaques d'or.

La cité inca

La civilisation inca s'est constituée à l'époque où, dans toute la région andine, on constate le développement des villes. Elle se situe donc dans une tradition d'urbanisme qu'elle enrichira et dont elle fera un de ses plus grands titres de gloire.

Les Incas ont été de grands bâtisseurs de villes. Ils ont fait du Cuzco une véritable métropole que chaque empereur, du moins depuis Pachacuti, s'est plu à embellir, profitant des ressources en main-d'œuvre et en matières premières que ses conquêtes lui procuraient. Dans les provinces soumises, ils ont groupé dans des centres urbains créés par eux une partie de la population, devançant ainsi la politique adoptée par le vice-roi de Toledo à la fin du XVIe siècle. Peut-on à propos des Incas parler d'urbanisme ? Les chroniques nous disent bien que les souverains faisaient exécuter en argile, par leurs architectes, le plan des villes ou des édifices qu'ils se proposaient de construire, mais il ne s'agit là que d'une tradition. La disposition régulière des rues se coupant à angle droit et aboutissant à des places, comme dans les villes modernes de l'Amérique latine, pourrait aussi faire croire que les Incas s'étaient fait de la ville modèle une conception rationnelle. Les relevés topographiques des villes incaïques dont les ruines subsistent frappent par l'aspect presque « américain » du plan général : grandes places, rues en damier et « blocs » rectangulaires enserrés, du moins sur la côte, de murailles. Ce triomphe du quadrillage n'est peut-être pas l'effet d'un urbanisme voulu, mais résulte du type même d'architecture et du mode de formation de la cité inca. Beaucoup de villes n'étaient qu'un assemblage de *kancha*, c'est-à-dire de groupes de trois ou quatre maisons disposées à l'intérieur d'une enceinte rectangulaire. A côté de villes qui paraissent obéir à un plan, il en était d'autres qui, de toute évidence, avaient poussé un peu au hasard le long des routes et des sentiers conduisant vers le centre occupé par des temples et des palais. Beaucoup de cités indiennes étaient, avant tout, un ensemble d'édifices publics habités par les membres du clergé et par les fonctionnaires. Le personnel subalterne attaché à ces dignitaires était logé dans des huttes qui n'ont laissé aucune trace. C'est pourquoi les ruines de certains édifices somptueux s'élèvent au milieu d'endroits qui paraissent n'avoir jamais été habités. Les ressources nécessaires aux personnages vivant dans ces centres religieux ou administratifs provenaient des villages avoisinants. Même le Cuzco, qu'on nous représente comme une grande capitale dont la population se serait élevée à trois cent mille habitants, chiffre sans doute exagéré, n'était qu'un conglomérat de villages et de bourgs dispersés autour des temples et des résidences royales. Après la conquête, les villages constituèrent des paroisses indépendantes qui se sont transformées en quartiers de la ville moderne tout en gardant leurs anciennes dénominations.

La masse imposante des ruines incas, la beauté de leur appareil nous dissimulent un peu la simplicité de leurs conceptions architecturales. Palais, temples ou maisons reproduisent à une échelle souvent grandiose l'humble hutte du paysan quechua, qui a survécu dans les vallées andines. Quatre murs en pierre sèche ou en torchis, un toit à pignon couvert de chaume, une porte et des niches intérieures, telle était l'unité qui se retrouve dans les structures les plus complexes. La monotonie du plan, ainsi que la lourde sévérité des façades, étaient rachetées par l'appareil. Aucune civilisation au monde n'a su assembler avec autant de perfection des blocs aussi énormes. C'est pourquoi des murs isolés ou à moitié détruits peuvent encore nous émouvoir, même s'il nous est impossible de reconstituer l'édifice auquel ils ont appartenu.

Machu-Picc

Les meilleurs spécimens de la maçonnerie inca se trouvent au Cuzco, bien qu'il ne reste plus grand-chose de la ville inca, brûlée par les Indiens eux-mêmes dans leur dernier effort pour en chasser les envahisseurs, démolie par ceux-ci lorsqu'ils en firent une cité espagnole et enfin, ravagée par plusieurs tremblements de terre dont le moindre ne fut pas celui de 1952. La plupart des vestiges subsistant constituent les soubassements d'édifices coloniaux. Ce sont des murs dont l'appareil est fait, soit de blocs polygonaux s'encastrant les uns dans les autres comme les pièces d'un puzzle ou d'un casse-tête chinois, soit de blocs rectangulaires disposés en assises régulières. Il n'y a pas longtemps encore, les archéologues attribuaient l'appareil polygonal, de type « cyclopéen », à un empire mégalithique bien antérieur à celui des temps dont Tiahuanaco aurait été le centre. Les Incas, héritiers de cette mystérieuse civilisation, tout en étant de bons architectes, n'auraient pas mis leur gloire à utiliser dans leurs constructions des blocs gigantesques. En fait, la chose est prouvée, les deux appareils, le cyclopéen, comme celui aux assises rectangulaires, sont contemporains et ne remontent pas au-delà du XVe et même du XVIe siècle. Ces deux styles, employés simultanément, dérivent peut-être de deux traditions distinctes. Rowe a émis l'hypothèse que les parois aux assises rectangulaires et à face bombée reproduisent en pierres les murs faits de mottes découpées dans un sol marécageux dont la surface est régulière, mais où chaque motte est séparée des autres par un sillon profond. Tandis que le grand appareil polygonal ou cyclopéen aurait pour origine les murs composés de grands blocs de pierre irréguliers, ce qui expliquerait la profondeur des jointures. L'appareil cellulaire, fait de petites pierres polygonales, se rattache au précédent. Le plus haut degré de perfection atteint par la maçonnerie inca est représenté par un troisième type d'appareil dans lequel les pierres rectangulaires sont taillées de façon régulière et assemblées si rigoureusement qu'elles offrent à la vue une surface parfaitement lisse.

La diversité de l'appareil n'est donc pas due aux étapes d'une évolution architecturale, mais correspond simplement à la destination des murs. Les gros blocs irréguliers ont été utilisés pour les murs, des terrasses et les enceintes des « cours ». L'appareil rectangulaire en andésite était préféré pour les corps de bâtiment. Les deux types de maçonnerie furent parfois combinés dans la structure d'un palais ou d'un temple

– l'appareil rectangulaire encadrant par exemple une porte dans une paroi à appareil cellulaire.

Les matériaux provenaient de carrières situées dans un rayon de sept à trente-cinq kilomètres. Ils étaient transportés sur des traîneaux à l'aide de rouleaux et mis en place par le moyen de chaussées et de remblais de terre. Les blocs étaient équarris à l'aide d'outils en pierre ou de ciseaux en cuivre ou en bronze. Ils étaient soumis à un long travail d'usure ou frottés contre les blocs voisins jusqu'à ce que leurs surfaces fussent parfaitement ajustées. On a remarqué que les grands blocs sont souvent flanqués de blocs moindres. Ce sont ces derniers que les maçons mettaient en mouvement, les frottant contre les pierres voisines après avoir étendu entre les deux une mince couche de sable mouillé.

La principale caractéristique de l'architecture inca est la forme trapézoïdale donnée aux portes, aux fenêtres et aux niches, et les saillies ou tenons qui se détachent de la surface des édifices. La destination de ces appendices n'a pu être déterminée de façon précise. Dans certains cas, il s'agit de chevilles attachant les cordes qui maintiennent le chaume de la toiture, dans d'autres, d'ornements. La plupart des édifices incas sont d'un étage, mais les maisons de deux étages sont assez fréquentes à Machu-Picchu. Le temple de Viracocha présente exceptionnellement trois étages.

Le Cuzco moderne, malgré les soubassements incaïques de ses maisons et les Indiens qui, d'un pas silencieux, se glissent dans ses ruelles, est une ville andalouse. Même les vestiges incas que l'on offre à l'admiration des touristes, ne remontent souvent pas à l'époque préhispanique, mais sont des édifices construits à la fin du XVIe siècle par des maçons indiens pour leurs nouveaux maîtres. Seuls trois Espagnols envoyés par Pizarro pour surveiller et hâter l'expédition de la rançon d'Atahuallpa purent voir la ville dans toute sa splendeur. Quand, premiers hommes de notre race, ils y pénétrèrent en 1533, les temples n'avaient pas encore perdu les plaques d'or qui, telles des corniches, en décoraient les façades. La ville leur parut si grande qu'ils racontèrent « qu'en huit jours ils ne purent tout voir ». Ils furent également frappés par les rues « bien tracées et bien pavées ».

Quelques mois plus tard, Pizarro et son armée prirent possession du Cuzco. Voici la description qu'en a laissée le conquistador Pedro Sancho de Hoz : « La ville qui est la plus importante de toutes celles où ces seigneurs avaient leur résidence, est si belle qu'elle serait digne d'être vue en Espagne. Elle est pleine de palais seigneuriaux, car il n'y vit point de gens pauvres. Chaque seigneur y construit sa maison et de même tous les caciques, bien qu'ils n'y habitent pas de façon permanente. La plupart de ces maisons sont en pierre et d'autres ont la moitié de leur façade en pierre. Il y a beaucoup de maisons en pisé et elles sont disposées avec beaucoup d'ordre, les rues en damier, très étroites, toutes pavées, et au milieu il y a des caniveaux en pierre. Leur seul défaut est d'être étroites, car de chaque côté du caniveau il n'y a de place que pour un cavalier. Cette ville est construite sur le versant d'une montagne et dans la plaine. La place, presque entièrement plate, est carrée et pavée. Autour, il y a quatre maisons de Seigneurs (lisez « d'Incas ») qui sont les principales de la ville. Elles sont peintes et en pierre taillée. » La ville était surmontée par la gigantesque forteresse de Sacsahuaman, un des monuments les plus surprenants du Nouveau Monde, qui égale, par la somme de travail que sa construction a requise et par l'impression qu'il produit, les pyramides d'Égypte. Devant ce triple rempart en appareil cyclopéen avec ses angles rentrants et saillants, ses portes étroites aux jambages gigantesques, on ne sait trop qu'admirer : de la masse des blocs dont certains mesurent plus de quatre mètres de hauteur, ou de leur ajustement qui est aussi parfait que celui d'une pièce de menuiserie. Au sujet de cette citadelle, Sanchez de Hoz, qui la vit avant qu'elle ne fût dévastée, nous dit : « Elle est la chose la plus belle que l'on puisse voir dans cette terre. Les remparts sont faits de pierres si grandes que nul ne suppose en les voyant qu'elles ont été placées par la main de l'homme. Elles sont aussi grandes que des morceaux de montagnes et des rochers, et il y en a qui ont trente palmes de hauteur et d'autres tout aussi larges, d'autres de vingt-cinq et d'autres de quinze, mais il n'en est aucune assez petite pour que trois charrettes puissent la transporter. Ce ne sont pas des pierres lisses mais fort bien ajustées et unies les unes aux autres... » Les remparts forment trois terrasses qui étaient dominées par trois tours, deux carrées et l'une ronde. La citadelle contenait en outre des citernes, des palais et des arsenaux pleins d'armes et d'équipement militaire.

Après la conquête

Après le guet-apens de Cajamarca et la capture d'Atahuallpa, une étrange apathie semble s'être emparée des Indiens. Il n'y eut pas de retour offensif de l'armée ni de levée en masse pour délivrer l'empereur et chasser les intrus. Les velléités agressives de quelques chefs de l'armée inca furent facilement déjouées ou maîtrisées. Les Indiens acceptaient avec résignation et sans colère apparente les exactions et les brutalités de la soldatesque espagnole. Lorsque Pizarro et ses hommes quittèrent Cajamarca, ils étaient suivis par de longues colonnes d'Indiens réduits en servitude.

Il fallut les abus immenses, les destructions stupides et les atrocités gratuites dont cette bande d'aventuriers se rendit coupable pour que les Indiens, poussés à bout, abandonnassent leur passivité. La première révolte contre les blancs eut pour animateur un fils de l'empereur Huayna-Capac, qui portait le nom du fondateur de la dynastie, Manco. L'homme qui sauva l'honneur des Incas et qui espéra restaurer le *Tahuantin-suyu* avait commencé par être un collaborateur. Au lieu de s'opposer à la marche des Espagnols vers le Cuzco, il se joignit à eux et guerroya sous leurs ordres contre les généraux appartenant à la faction d'Atahuallpa son demi-frère. Pour prix de ses services, il fut « couronné » empereur par Francisco Pizarro, qui permit ou peut-être exigea que l'ancien cérémonial fût observé. Les momies des empereurs furent apportées sur la grande place du Cuzco pour accueillir leur descendant et les bardes entonnèrent des hymnes traditionnels célébrant la gloire des Incas défunts.

De 1533 à 1536, Manco fut moins qu'un Inca fantoche ; même les nobles de sa cour ne prenaient pas la peine de lui témoigner le respect dû à un empereur. Son frère, qui les avait rappelés à l'ordre, fut souffleté publiquement par Francisco Pizarro. Le malheureux Inca fut entraîné malgré lui dans les rivalités entre Almagro et Pizarro. Menacé de mort par les pizarristes, il dut se cacher sous le lit d'Almagro. Rendu responsable des attaques isolées des Indiens contre les Espagnols, il fut emprisonné, d'abord dans son palais, puis dans la forteresse de Sacsahuaman. Les soudards qui le gardaient violèrent ses femmes sous ses yeux. Comme si cet outrage ne suffisait pas, ils s'amusaient à moucher leurs chandelles contre son nez et urinaient sur sa personne, la personne d'un dieu vivant. Par esprit de vengeance, Manco avait combattu Quizquiz, le général de son frère Atahuallpa, et ainsi avait contribué à briser la dernière opposition contre l'envahisseur, mais ces humiliations lui mirent au cœur une haine implacable contre les Espagnols. C'est elle qui fit de lui le premier grand champion de la résistance indienne. Sous le prétexte d'apporter à son geôlier, Fernando Pizarro, une statue en or massif, Manco réussit à s'enfuir et à gagner la vallée de Yucay. De là, à la tête d'une grande armée, il se lança à l'assaut du Cuzco. Si nombreux étaient les Indiens qui avaient répondu à son appel que « de jour ils couvraient la plaine comme un drap noir et la nuit les feux de leurs bivouacs paraissaient les étoiles du Ciel ». (Pedro Pizarro.)

Pour anéantir les Espagnols qui y étaient retranchés, les Indiens n'hésitèrent pas à brûler leur capitale. Ils mirent le feu aux toits de chaume avec des pierres de fronde incandescentes ou des flèches enflammées, puis, sautant de mur en mur pour éviter la cavalerie, ils s'efforcèrent de traquer leurs adversaires vers la place centrale, tels des chasseurs pressant leur gibier. Quoique dans une situation désespérée, les Espagnols parvinrent à s'emparer de la citadelle de Sacsahuaman, tenue par quinze cents hommes. C'est alors qu'un chef indien, Cahuide, qui avait bravement combattu, à la vue de ce désastre, préféra se précipiter du haut du rempart plutôt que d'être capturé.

Avec une armée qu'on a estimée à quarante ou cinquante mille hommes, Manco ne put venir à bout de deux cents Espagnols. Le courage désespéré de ceux-ci et la supériorité de leur armement ne suffisent pas à expliquer son échec. Manco avait bien l'avantage du nombre, mais il ne disposait pas des troupes aguerries de son père. Son armée était faite de paysans, enragés par les déprédations des Espagnols, mais qui, devant la longueur du siège, perdirent courage. Comme l'époque des semailles approchait, ils désertèrent en masse pour aller préparer la prochaine récolte. Manco avait apporté des changements à la tactique traditionnelle. Sachant que la cavalerie espagnole « était la meilleure forteresse pour résister à la fureur indienne », il chercha à parer ce danger. Ses soldats, armés de *bolas*, les jetaient dans les pattes des chevaux pour les renverser ou les attiraient vers des terrains semés de chausse-trapes. Les Indiens avaient capturé quelques chevaux, et Manco, sur sa monture, chargeait les Espagnols, lance à la main. Les Indiens tentèrent aussi d'utiliser les arquebuses dont ils s'étaient emparés, mais le dosage de la poudre leur étant inconnu, ces armes leur furent plus dangereuses qu'à l'adversaire.

Si les Indiens avaient fort bien senti le besoin de s'adapter à de nouveaux modes de combat, ils ne renoncèrent pas, pour leur malheur, aux rites et aux tabous qu'ils observaient en temps de guerre. Ils choisissaient, selon leur coutume, la pleine lune pour attaquer, perdant ainsi l'effet de la surprise et permettant aux Espagnols de se servir de leur cavalerie.

Le soulèvement massif sur lequel Manco avait compté pour submerger les envahisseurs et les écraser sous le nombre ayant échoué, il modifia toute sa conception de la lutte et décida de mener contre l'Espagnol une guerre d'usure à partir de positions fortifiées. Il s'établit d'abord à Ollantaytambo mais, ayant été délogé de cette ville, il s'enfonça plus profondément dans les Andes et se réfugia à Vitcos, sans doute un ancien poste militaire, qui, pendant près de quarante ans, devint la capitale de la dissidence inca. L'emplacement exact de cette ville a été longtemps un mystère. On savait qu'elle était située dans les Andes de Vilcabamba, région d'accès très difficile où, aujourd'hui encore, on ne pénètre qu'après avoir gravi des cols de plus de cinq mille mètres, franchi des torrents furieux, profondément encaissés, et emprunté des sentiers abrupts que dissimule souvent une forêt épaisse. Les Espagnols hésitèrent longtemps à se risquer dans un pays que la nature avait si bien protégé et dont une poignée d'hommes pouvait garder les abords, même face à des troupes nombreuses et bien aguerries. Vitcos, la capitale des derniers Incas, a été visitée par très peu d'Espagnols. L'un d'eux, dans le récit de son voyage, rapporte qu'il y avait là « un grand espace aplani, couvert de somptueux édifices construits en pierre avec art et habileté ».

Jusqu'à une date récente, la région dont l'Inca Manco avait fait son royaume offrait tant d'obstacles à la pénétration des voyageurs ou des colons qu'elle faisait figure de *terra incognita*, malgré sa proximité du Cuzco. En 1908, le sénateur américain Hiram Bingham, qui s'était juré de retrouver la fabuleuse capitale des derniers Incas, parcourut en tous sens les Andes de Vilcabamba pour en examiner le moindre vestige archéologique. Après une longue quête et des ascensions fort périlleuses, les Indiens le conduisirent à Rosaspata, dans la vallée d'Urubamba, auprès de ruines dont la disposition correspondait en tous points aux maigres renseignements que nous possédions sur Vitcos. De même que les rares visiteurs de la ville au XVIe siècle, il fut frappé par les jambages et les linteaux des portes trapézoïdales en granit d'une blancheur de marbre. Les derniers doutes qu'il aurait pu avoir quant à l'identification du site furent dissipés lorsque ses guides lui montrèrent près de l'ancienne ville un énorme rocher en granit blanc au-dessus d'une source. Des sièges, des gradins, des excroissances cylindriques taillés dans la pierre signalaient ce roc comme une *huaca*. Il ne pouvait s'agir que de la fameuse « roche blanche », dont il est question dans la chronique de Calancha, près de laquelle se dressait un temple du Soleil que des missionnaires espagnols eurent l'audace de brûler. Effectivement, non loin du rocher, on voyait encore les ruines d'un édifice qui a dû être un sanctuaire.

Des objets en fer que Bingham recueillit dans les ruines de Rosaspata, attestent que cette cité inca avait été occupée après la conquête, autre argument de poids en faveur de son identification avec Vitcos. Rappelons que c'est en cherchant Vilcabamba que Bingham escalada la crête sur laquelle se dressaient, cachées sous la forêt, les ruines de Machu-Picchu, la ville morte la plus célèbre du continent.

Dans son réduit andin, Manco-Capac, dans la mesure du possible, rétablit l'ordre inca. Il avait été suivi dans son exil volontaire par beaucoup de nobles qui, dit-on, « s'arrachèrent à regret aux plaisirs dont ils avaient joui au Cuzco et ailleurs ». L'Inca emporta aussi « de grands trésors et de nombreux chargements de vêtements en laine fine ». Il fit notamment transporter dans la cité-refuge l'image du Dieu Soleil, soustraite à la cupidité des conquérants, ainsi que les momies de quelques-uns de ses ancêtres. Le culte des grands dieux de l'Empire fut restauré. Des prêtres et des « femmes choisies » furent affectés à leur service. L'ancienne étiquette de cour fut imposée aux nobles. Dans le zèle déployé par Manco-Capac pour ressusciter, fût-ce sous une forme amoindrie et médiocre, l'ancien faste impérial, il ne faut pas voir l'obstination d'un prince imbu d'une tradition glorieuse et se refusant à toute innovation. Le fondateur du nouvel État inca possédait à un haut degré les vertus guerrières et le sens politique de ses prédécesseurs. Il fut véritablement un homme d'État – le dernier que produisit la dynastie. Il comprit que, pour s'affronter aux Espagnols avec quelque chance de succès, il importait de s'adapter à la civilisation apportée par les étrangers, qui leur avait donné la victoire sur les hommes de sa race. Nous avons vu que Manco s'était constitué une cavalerie et qu'il avait pourvu ses soldats d'arquebuses. Des objets d'origine européenne, armes et outils en fer, furent sans doute vendus à l'Inca rebelle par des commerçants espagnols auxquels il fournissait, en échange, de la coca, du tabac et du cacao. Manco-Capac, qu'il en fût conscient ou non, fit de son mieux pour opérer une synthèse entre l'ancienne et la nouvelle civilisation. Bien qu'isolés dans une des régions les plus inaccessibles des Andes, les sujets de Manco-Capac subirent à bien des égards plus fortement l'influence de leurs ennemis que beaucoup d'Indiens en contact quotidien avec les colons espagnols.

La situation des Incas, retranchés dans les montagnes à l'abri des précipices et des forêts, n'est pas sans rappeler celle des Espagnols eux-mêmes après la bataille de Guadalete, quand, devant l'invasion arabe, ils dressèrent leur dernière ligne de défense dans les Asturies. L'analogie n'échappa sans doute pas aux conquistadors. Dans l'acharnement qu'ils apportèrent à la destruction du petit État inca, peut-être y eut-il la crainte qu'il ne devînt à son tour le point de départ d'une « reconquête ».

De sa capitale, Manco ne cessait de harceler les Espagnols en tous sens. Il s'employait à couper leurs communications, si bien que Pizarro fut obligé de fonder la ville de Huamanga

(Ayacucho) pour maintenir ouverte la route entre Lima et le Cuzco. Il poussait en sous-main les Indiens à la révolte. Plusieurs insurrections qui éclatèrent dans le haut Pérou furent encouragées par lui. Il châtiait durement les collaborateurs, et il chercha même à affamer les Espagnols en détruisant les récoltes de ses propres sujets.

Parfois, il négociait pour gagner du temps ou se tirer d'un mauvais pas. Ses espions le renseignaient sur les mouvements des Espagnols et sur tous les événements qui se produisaient dans la colonie. Pendant sept ans, il rendit impossible tout établissement permanent dans le sud du Pérou. Son action fut cependant nulle sur la côte.

Manco avait suivi avec la plus grande attention les querelles qui divisaient les conquistadors. Lors des guerres civiles entre pizarristes et almagristes, il avait espéré que ces bandits s'égorgeraient mutuellement et qu'il resterait maître de la situation. Mais telle était sa haine de Pizarro et de sa famille qu'il soutint le parti d'Almagro le jeune, qui avait assassiné Francisco Pizarro pour venger son père. C'est vers Vitcos que le jeune Almagro, battu, s'enfuyait, lorsqu'il fut capturé. Diego Mendez et quelques autres de ses partisans réussirent à se réfugier auprès de Manco, qui les accueillit à bras ouverts. Ces hommes, auxquels l'Inca avait sauvé la vie, payèrent leur dette en l'assassinant, afin peut-être de rentrer en grâce auprès du vice-roi. Cependant, les gardes du corps de Manco les tuèrent avant qu'ils ne pussent s'enfuir sur les chevaux volés à leur bienfaiteur. Le corps de Manco fut embaumé et déposé dans le Temple du Soleil à côté de celui de ses ancêtres.

A Manco-Capac succéda son fils Sayri-Tupac, un enfant de dix ans. Le moment parut propice aux Espagnols pour obtenir sa soumission sans avoir recours à une expédition coûteuse, dont l'issue pouvait être incertaine. Ils se servirent pour négocier avec la cour du jeune Inca, de ses nombreux parents qui, restés au Cuzco, témoignaient par leur train de vie et par les privilèges dont ils jouissaient des avantages de la collaboration avec le vainqueur. Les propositions faites à Sayri étaient tentantes : le respect de sa personne, deux palais au Cuzco, les revenus d'une riche « commande » et le titre d'*adelantado*. Quand il fut en âge d'imposer sa volonté, Sayri se résolut à les accepter, malgré la méfiance de ses conseillers. Cette capitulation fut présentée comme une décision librement prise et sanctionnée par le Soleil et la Terre-mère que les prêtres avaient consultés. En 1555,

Sayri-Tupac, le front ceint de la frange impériale, sa luxueuse litière escortée de trois cents guerriers, prit le chemin de Lima où le vice-roi le reçut avec honneur. Il mourut en 1560, dans la vallée du Yucay, empoisonné, dit-on. Sa fille, doña Béatrice, épousa un neveu de saint Ignace de Loyola, et sa petite-fille fut marquise d'Oropesa.

Sayri-Tupac mort, un autre fils de Manco, Titu-Cusi, grand prêtre du Soleil, se fit proclamer Inca. L'héritier légitime, son plus jeune frère Tupac-Amaru, fut enfermé dans un couvent de Vierges du Soleil « comme c'était la coutume chez les souverains de ce pays avant la venue des Espagnols ».

Titu-Cusi, qui devait donner à l'État inca un dernier sem-

Tupac-Amaru fait son entrée au Cuzco.

blant de vie, avait de bonnes raisons de haïr les Espagnols. Enfant, il avait été leur prisonnier et c'est à grand-peine qu'il avait échappé au sort de son père assassiné sous ses yeux. Il reprit les hostilités, mais plutôt à la façon d'un chef de bande que d'un souverain. Ses guerriers se contentaient de piller les fermes dans les territoires pacifiés. Ils ramenaient de ces razzias du butin et des captifs qui venaient grossir les maigres effectifs de l'Inca.

La résistance de Titu-Cusi aux Espagnols fut moins opiniâtre que celle de son père. Tout en guerroyant contre eux, il ne cessa de négocier pour obtenir les faveurs accordées à son frère Sayri. Désespérant de sa cause, cherchait-il à tirer le meilleur parti possible de sa situation pour devenir un collaborateur bien nanti, ou souhaitait-il seulement gagner du temps en vains pourparlers ? On ne sait. Au cours de tractations qui traînèrent dix années, quelques Espagnols furent autorisés à pénétrer sur le territoire de l'Inca. L'un d'eux, Diego Rodriguez de Figueroa, nous a laissé de son ambassade un récit circonstancié, plein de curieux détails sur le camp militaire qu'était alors la cour de l'Inca dissident.

A peine Rodriguez de Figueroa eut-il abordé sur la rive gauche de l'Urubamba, qu'un groupe menaçant d'Indiens emplumés et « masqués » l'entoura et l'avertit que, s'il n'était point homme de cœur, il ferait mieux de s'en retourner et ne pas paraître devant l'Inca qui haïssait les lâches. Quelques jours plus tard, après un dur voyage à travers des sierras boisées et abruptes, l'envoyé de l'audience royale fut conduit auprès de l'Inca venu le recevoir à Bambacona où avait été aménagé une sorte de théâtre couvert de terre rouge. Titu-Cusi, le visage « masqué », était coiffé d'un grand diadème de plumes de diverses couleurs ; sur sa poitrine, il portait une plaque d'argent. A ses jarretières de plumes étaient suspendus des grelots de bois. Il tenait à la main un écu et une hallebarde d'or, et était armé d'un poignard doré à la mode espagnole. Il était entouré de gardes du corps avec des plumes sur la tête, des bijoux en or et en argent et des hallebardes. Les nobles qui se pressaient autour de l'Inca saluèrent le Soleil, puis leur souverain auquel ils disaient : « Fils du Soleil, tu es le fils du jour... »

Quant à ses sentiments envers les Espagnols, Titu-Cusi n'en fit pas mystère. A la suite d'une beuverie pendant laquelle ses soldats avaient exécuté des danses guerrières, il s'empara d'une lance et d'un bouclier et, s'adressant à Rodriguez de

Figueroa, s'écria : « Pars immédiatement et amène-moi tous ceux qui sont derrière ces montagnes ; je veux aller combattre les Espagnols, les tuer tous et donner leurs cadavres aux Indiens sauvages pour qu'ils les dévorent. » Il fit alors défiler devant lui six cents à sept cents Indiens de la forêt, armés d'arcs et de flèches. « Il brandit encore sa lance et dit qu'il pouvait soulever tous les Indiens du Pérou et que, sur son ordre, ils prendraient les armes. » Les nobles, *orejones*, menacèrent Figueroa avec leurs armes, criant : « Les barbus, nos ennemis. »

En dépit de ces menaces, l'attitude de Titu-Cusi n'en était pas moins ambiguë. Il laissa entendre à son hôte qu'il n'était pas hostile au catholicisme et se souvenait d'avoir été baptisé. Il se défendit vigoureusement d'avoir permis les incendies de chapelles dont on l'accusait. Il accepta enfin de rencontrer un fonctionnaire espagnol pour discuter des termes de sa soumission ; cependant, mis en devoir de s'exécuter, il céda à la méfiance et se déroba à toute entrevue.

Vers la fin de son règne, Titu donna des gages de sa volonté de paix. Il se fit baptiser sous le nom de Felipe et permit à deux augustins de prêcher dans son État. Ceux-ci d'ailleurs abusèrent de la tolérance et de la patience de l'Inca. Ils l'admonestaient sans arrêt et mirent le feu à un sanctuaire du Dieu Soleil. L'Inca se borna à expulser l'un des deux trublions, mais garda l'autre, le Père Diego Ortiz, auprès de lui.

L'Inca étant tombé subitement malade, les Indiens, confiants dans ce pouvoir que le missionnaire leur assurait tenir de Dieu, lui demandèrent de sauver leur maître. Le Père Diego Ortiz eut l'imprudence d'accepter et même de donner à l'Inca un remède qui se révéla aussi inefficace que ses prières. Déçus, les Indiens, dans leur désespoir, se jetèrent sur le missionnaire qu'ils torturèrent à mort.

Les funérailles de Titu-Cusi furent célébrées selon les rites traditionnels. Pour la dernière fois, les insignes impériaux – la frange rouge, la masse d'armes, le parasol, les parures d'or – furent promenés en grande pompe. Puis on alla chercher le jeune Tupac-Amaru qui était toujours reclus dans un couvent des Vierges du Soleil.

Le règne de Tupac-Amaru fut des plus brefs. L'implacable vice-roi Francisco de Toledo était décidé à anéantir cette ombre de royaume inca dans lequel il feignait de ne voir qu'un repaire de rebelles et de brigands. Le prétexte lui en fut fourni par l'assassinat d'un émissaire et par la mort du Père Diego Ortiz dont on avait fait un martyr de la foi. Les habitants du Cuzco furent contraints de fournir un contingent qui, assisté par les auxiliaires cañaris, partit à la conquête de la région de Vilcabamba. Pour de mystérieuses raisons (Calancha assure que le territoire de l'Inca avait été dévasté par une épidémie et par la famine), les Indiens non seulement ne gardèrent point les défilés, mais négligèrent même de couper le pont suspendu qui, sur le rio Urubamba, donnait accès à leur territoire. Les Espagnols n'eurent donc aucune peine à s'emparer de Vitcos et à briser la faible résistance qui leur fut opposée. L'Inca, traqué de toutes parts, fut capturé avant d'avoir pu se réfugier chez les Indiens de la forêt amazonienne.

Si Tupac-Amaru avait pu croire que les Espagnols respecteraient en lui le sang dont il était issu et le titre dont il venait d'être investi, il fut cruellement déçu. Les chaînes dont il fut chargé ne rendaient que plus dérisoires les insignes de la royauté qu'il arborait encore lorsqu'il pénétra dans la capitale de ses ancêtres, à pied, au milieu des captifs et du butin que les blancs vainqueurs traînaient derrière eux. Le procès intenté à l'Inca se déroula de façon aussi inique que celui de son grand-oncle Atahuallpa. Les « capitaines » indiens furent les premiers exécutés. Ils avaient été torturés avec tant de cruauté que la plupart moururent avant d'atteindre l'échafaud. Voici le récit qu'un témoin nous a laissé des ultimes moments du dernier Inca ayant porté la *maskapaicha :* « Il fut conduit à travers les rues du Cuzco flanqué du Père Alonso de Barzana, jésuite, et du Père Molina, prédicateur des Indiens. Ils l'instruisaient et lui disaient des choses consolantes pour l'âme. L'échafaud se dressait au milieu de la place du Cuzco, en face de la cathédrale. L'Inca était suivi de quatre cents Indiens, ennemis de ses ancêtres, qui avançaient, la lance à la main.

« Tous les espaces couverts, ainsi que les toits et les fenêtres des paroisses de Carmenca et de San Cristobal, étaient si pleins de monde qu'une orange tombée là n'aurait pu toucher le sol tant les gens étaient serrés. Le bourreau, un Indien cañari, ayant apporté le coutelas destiné à décapiter Tupac-Amaru, une chose merveilleuse se produisit. La foule des Indiens poussa un tel cri de douleur qu'on aurait pu croire que le jour du jugement était arrivé. Les spectateurs de race espagnole manifestèrent aussi par des larmes leur chagrin et leur peine. Quand l'Inca vit cette scène, il leva la main droite et la laissa tomber noblement. Lui seul était calme. Tout ce vacarme fut suivi d'un silence si profond qu'il n'était âme vivante qui bougeât parmi les gens assemblés sur la place ou plus loin. L'Inca parla avec une éloquence inhabituelle pour un homme à l'article de la mort. Il dit qu'il avait achevé le cours de sa vie et mérité son sort. Il implora tous ceux qui avaient des enfants de ne jamais les maudire pour leur mauvaise conduite, mais seulement de les punir ; en effet, dans son enfance, il avait un jour irrité sa mère. Celle-ci l'avait maudit et lui avait prédit qu'il mourrait exécuté, et non point de mort naturelle. C'est ce qui se réalisait. Les

Exécution de Tupac-Amaru.

Pères Carrera et Fernandez le contredirent, lui expliquant que son destin dépendait de la Volonté Divine, et non point d'une malédiction maternelle. Ces Pères ayant l'éloquence de saint Paul, ils réussirent à le convaincre. L'Inca se repentit de ses paroles. Il demanda à tous de lui pardonner et déclara au vice-roi et au magistrat qu'il prierait Dieu pour eux. L'évêque de Popoyan, Don Augustin de la Coruña, et d'autres prêtres coururent chez le vice-roi pour implorer sa miséricorde, et lui demander la grâce de l'Inca. Ils le pressèrent de l'envoyer en Espagne pour être jugé par le roi lui-même. Aucune prière ne fléchit Don Francisco de Toledo. Juan de Soto, officier de justice de la cour et serviteur du vice-roi, fut envoyé à cheval avec un bâton pour s'ouvrir passage. Il galopa furieusement, écrasant avec sa monture bien des gens. Il donna l'ordre de couper la tête de l'Inca sans plus tarder. L'Inca, ayant reçu les dernières consolations des Pères qui se tenaient à ses côtés, posa sa tête sur le billot comme un mouton. Le bourreau avança, et, prenant les cheveux dans sa main gauche, la lui trancha d'un seul coup et l'éleva pour que tous pussent la voir. Au moment où la tête fut coupée, toutes les cloches de la cathédrale se mirent à sonner, ainsi que celles de tous les monastères et de toutes les églises de la ville. L'exécution causa la plus grande douleur et fit jaillir les larmes dans les yeux de tous. La tête fut fichée à la pointe d'une pique auprès de l'échafaud. Chaque jour, elle devint plus belle, car l'Inca avait eu de son vivant un beau visage. La nuit, les Indiens venaient l'adorer jusqu'à ce qu'un matin, à l'aube, Juan de Sierra, étant allé par hasard à sa fenêtre, vit les idolâtries que le peuple perpétrait. Le vice-roi en fut informé. Il fit enterrer la tête avec le corps, dans une chapelle de la cathédrale. Une messe pontificale fut chantée pour le repos de l'âme de l'Inca, et tous les religieux de la ville participèrent aux funérailles. De nombreuses messes avec orgue furent dites en son honneur, parce qu'il avait été un grand seigneur et un Inca. »

La conquête de l'empire des Incas par les Espagnols et le régime colonial qui en découla se soldèrent pour les Indiens par la destruction de leurs biens, la perte de leurs traditions les plus sacrées, la plus forcenée des exploitations, l'esclavage et très souvent la torture et le massacre. Il est de mode en Espagne de railler la « Légende noire » inventée par les hérétiques pour calomnier le noble peuple ibérique. Les détracteurs de la colonisation espagnole sont cependant moins sévères que ne le furent pour eux-mêmes les Castillans témoins de tant d'horreurs et de tant d'oppressions. Qu'on ne prétende point que les seuls disciples de Bartolomé de Las Casas sont ici en cause. La dénonciation, par tant de rudes soldats et d'hommes de loi, des atrocités et des abus dont ils ont été témoins est à l'honneur de l'Espagne. Bien que la Couronne se soit efforcée de protéger les droits des Indiens, on ne saurait absoudre un régime parce que les intentions, et celles-ci seules, de ses dirigeants furent souvent généreuses et justes. Certes, nous savons combien il était difficile au roi et à ses représentants de se faire obéir au-delà des mers. « La loi doit

« La loi doit être respectée. »

être respectée mais non obéie », telle a été l'attitude des Espagnols chaque fois qu'il leur fut enjoint de mettre fin à leurs exactions. D'ailleurs ceux qui, au mépris des documents historiques, exaltent le passé colonial, oublient trop que les abus et les violences dont l'écho nous parvient du fond des temps continuent à être pratiqués en beaucoup de régions par les descendants des conquérants et des colons. Peut-être, s'ils parcouraient en 1962 les provinces andines, Antonio Ulloa et Jorge Juan ne modifieraient guère le récit de certains faits consignés dans leurs fameuses *Noticias secretas de America*, où ils dénonçaient avec courage et honnêteté le traitement infligé aux Indiens du Pérou au XVIIIe siècle.

La conquête eut donc pour première conséquence une forte chute de la population qui se poursuivit jusqu'à 1796, à la veille des guerres d'Indépendance. D'après les chiffres officiels espagnols, le nombre des Indiens appartenant à la juridiction des Audiences de Lima et de Charcas, qui correspondaient en gros au Pérou et à la Bolivie actuelle, serait passé entre 1561 et 1796, de 1 490 137 Indiens à 608 894, c'est-à-dire qu'il aurait diminué de plus de moitié.

On suppose que la population de l'empire des Incas fut réduite de 50 % dans les trente années qui suivirent la conquête. Ceux qui l'évaluent à six millions estiment les pertes aux trois quarts du total. Les maladies contagieuses, telles que la petite vérole, introduites par les Espagnols, ont été rendues responsables de cet effroyable taux de mortalité. En effet, des affections bénignes pour les Européens déciment facilement ceux qu'une longue accoutumance aux germes n'a pas immunisés. Beaucoup de tribus amazoniennes ont presque disparu à la suite d'une banale épidémie de grippe ou de rougeole. Cependant, on ne signale aucune épidémie au cours de la période ayant précédé le premier recensement. Force nous est donc d'attribuer le dépeuplement du Pérou aux causes invoquées plus haut; en outre, beaucoup d'Indiens furent massacrés lorsque Manco-Capac, dans un dernier sursaut, chercha à repousser les envahisseurs. Les guerres civiles entre Espagnols furent également meurtrières pour les Indiens. Des famines résultant de la dislocation de la vie économique et sociale s'ajoutèrent aux horreurs de la guerre et de la colonisation.

Plus tard, les mines d'argent de Potosi et celles de mercure de Huancavelica furent, selon les Espagnols eux-mêmes, de grandes mangeuses d'hommes. Le travail forcé dans les mines contribua directement au dépeuplement du Pérou, car nombreux furent les ouvriers qui ne survécurent point à la misère et au surmenage, et indirectement aussi en raison de la terreur qu'il inspirait. Des milliers d'Indiens fuirent les provinces soumises à la corvée pour s'établir dans celles qui en étaient dispensées. La province de Chucuito, qui devait fournir d'importants contingents de mineurs, perdit entre 1628 et 1754 les deux tiers de sa population.

L'emprise de l'Espagne sur les Indiens se fit à travers l'*encomienda*, ce système par lequel un individu, s'étant distingué au service du roi, était préposé à la garde et protection

Les Indiennes travaillent au profit de l'Église.

de villages indiens dont il avait droit d'exiger un tribut ou, à son défaut, des prestations de travail. Pour empêcher les abus commis par les détenteurs d'*encomiendas*, ou *encomenderos*, des fonctionnaires, les *corregidores*, nommés par le roi, étaient chargés de l'administration des *encomiendas*. Loin de sauvegarder les intérêts des indigènes, les *corregidores* ne tardèrent pas à devenir leurs pires oppresseurs. Une partie du tribut revenait aussi aux prêtres chargés d'endoctriner les Indiens.

La conquête brisa l'ordre économique et social de l'Empire inca. La distribution même de la population fut changée. Le vice-roi Francisco de Toledo contraignit les Indiens du Pérou à se regrouper dans des villages ou des bourgs où ils étaient à la fois plus aisément surveillés et plus facilement assimilés. Des milliers d'Indiens durent abandonner leurs maisons et leurs sanctuaires pour s'établir dans ces agglomérations artificielles. Il en résulta un effondrement de tout ce qui contribuait à la cohésion des communautés. Les dieux tutélaires et ancestraux furent oubliés, les titres de propriété abolis et les anciennes autorités privées de leur pouvoir. Des *ayllu* entiers disparurent, certains fusionnèrent pour former des groupes nouveaux. Les innombrables paysans, arrachés à la terre et à leurs communautés, constituèrent une population flottante, les uns travaillant comme domestiques ou artisans dans les villes, d'autres se louant aux nouveaux propriétaires terriens dont ils devinrent rapidement les serfs.

La *mita* était la corvée que ses sujets devaient à l'Inca. Les Espagnols, qui en avaient saisi les avantages, la détournèrent vite à leur profit. Ils réclamèrent des Indiens les services que leurs anciens monarques avaient exigés, mais n'usèrent d'aucun des ménagements que ceux-ci observaient. Sous le régime inca, les *mitayos*, c'est-à-dire les assujettis à la corvée, étaient entretenus sur les dépôts de l'État et n'étaient point trop longtemps retenus hors de leurs villages. Les Espagnols utilisèrent à plein la main-d'œuvre indienne sans aucune contrepartie.

La plus terrible *mita*, celle qui pour les Indiens en vint à symboliser les horreurs de la domination étrangère, fut celle des mines. Un septième de la population totale du Pérou, du Cuzco à Tarija, se relayait dans les mines de Potosi, à 4 800 m d'altitude, et dans les mines de mercure. Les lois, il est vrai, étaient censées protéger le mineur : le travail n'était théoriquement que de douze heures par jour et l'ouvrier était libre de travailler à son compte les dimanches et pendant les semaines de repos qui lui étaient en principe octroyées. Le sort des *mitayos* eût été à la rigueur tolérable si les lois édictées pour leur protection avaient été observées. Elles étaient non seulement négligées, mais encore tournées contre ceux qui auraient dû en être les bénéficiaires. Ainsi s'arrangeait-on pour ne pas payer aux Indiens les sommes dues, et même pour leur extorquer de l'argent sous forme de cadeaux et de redevances.

Le calvaire des corvéables commençait avec le voyage, parfois de deux ou trois mois, qui les menait de leur village à la mine. Ils partaient accompagnés de leurs femmes et de leurs enfants, dont beaucoup mouraient en route. Lorsque leur tour venait de monter à la mine, ils y restaient cinq jours et cinq nuits d'affilée, groupés en équipes de trois hommes, deux d'entre eux mangeant et dormant pendant que le troisième creusait ou portait le minerai. Le travail à la tâche était pire. On exigeait de chaque homme vingt-cinq sacs de cinquante kilogrammes de minerai en douze heures. Pour les extraire, il fallait se traîner par d'étroites galeries et emprunter des échelles mal assurées. Ne pouvant satisfaire à de telles normes, les Indiens louaient des assistants sur leurs maigres salaires, d'ailleurs diminués si le quota n'était pas rempli. L'achat des bougies dont ils s'éclairaient dans les boyaux de la mine incombait aux ouvriers. La plupart des Indiens, inévitablement endettés, devenaient des esclaves de fait et par là même restaient attachés à la mine. Potosi était une manière de monstre boulimique engloutissant la population indienne. Les Indiens cherchaient à se soustraire à la *mita* par la fuite. Ils se réfugiaient dans les provinces qui échappaient à cette forme de tribut et s'établissaient comme colons dans une *hacienda*. Là, ayant perdu terre et liberté, ils conservaient au moins la vie. Les propriétés délaissées par les fugitifs étaient vendues par les communautés ou confisquées par la Couronne. Ainsi furent constituées quelques-unes des grandes *haciendas* du Pérou moderne.

De leur côté, les autorités s'efforçaient de fournir les contingents nécessaires. Au moment du départ des équipes, on voyait partout des Indiens enchaînés, collier de fer au cou. Femmes et enfants accompagnaient ces misérables colonnes de déportés avec des cris et des hurlements, s'arrachant les cheveux, « chantant dans leurs langues des chants de mort et des lamentations lugubres ». Les malheureux qui partaient prenaient congé des leurs, sans espoir de retour. Ceux qui le pouvaient, vendaient tous leurs biens pour se racheter.

Beaucoup n'hésitaient pas à « louer » leurs femmes et leurs enfants « à raison de soixante ou cinquante pesos dans le seul but de se libérer de la mine ».

Les chefs indigènes étaient battus et torturés s'ils ne livraient pas la main-d'œuvre exigée. Un Indien rentré de la mine trouva au village sa femme morte et ses deux enfants abandonnés. Son chef l'embaucha de force dans une équipe qui repartait pour l'enfer de Potosi. Aux supplications du malheureux, le *curaca* répondait : « Si je ne complète pas mon contingent avec toi, les Espagnols me brûleront, me fouetteront et boiront mon sang. » Désespéré, l'homme pendit ses deux enfants « pour qu'ils ne servent jamais à la mine », et se coupa la gorge avec un couteau.

A la *mita* de la mine vint s'ajouter l'horreur des *obrajes*, c'est-à-dire des ateliers de tissage ou de corroyage. Ces fabriques n'étaient pas mal outillées pour l'époque. Cependant les conditions de travail y étaient si abominables qu'elles devinrent une manière de bagne auquel étaient condamnés les Indiens coupables de quelque délit ; plutôt que d'être ouvriers d'*obrajes*, beaucoup préféraient être envoyés aux mines ou aux galères. Les propriétaires d'*obrajes* recrutaient leur main-d'œuvre parmi les enfants pour ne pas avoir à payer plein salaire. Les malheureux, contraints de travailler au-delà des heures réglementaires, étaient sous-alimentés et terrorisés par des gardes-chiourme. Le service des relais postaux, qui avait été si utile à l'administration impériale, devint lui aussi source d'abus. Les villages avoisinants étaient obligés de loger et nourrir les Espagnols en voyage, en échange de quoi ils ne recevaient que des outrages. S'ils ne pouvaient fournir les bêtes de somme qu'on leur réclamait, ils étaient substitués à celles-ci et portaient sur leur propre dos les fardeaux qu'il plaisait aux Espagnols de leur imposer.

Conquête militaire et conquête spirituelle étaient indissolublement liées. Le traité que Francisco Pizarro signa avec la Couronne avant de partir à la découverte du Pérou mentionne spécifiquement l'évangélisation des indigènes. Au début, ceux-ci n'offrirent que peu de résistance à la religion qui leur était imposée. Conscients de ne pouvoir jamais jouir de l'appui des Espagnols ni de sauver leurs privilèges à moins de renoncer à leurs « erreurs diaboliques », beaucoup de membres de la famille impériale embrassèrent le catholicisme avec un zèle apparent. La messe, l'adoration de la croix et autres rites passaient aux yeux de la masse pour les manifestations d'une nouvelle religion officielle qu'ils acceptèrent avec la même docilité qu'autrefois le culte du Soleil. Pendant une quarantaine d'années, le clergé catholique crut avoir triomphé à bon compte. Grande fut sa surprise quand, dans la première moitié du XVIIe siècle, il s'avisa que, sous un léger vernis de christianisme, les Indiens étaient restés païens. Comme l'Inquisition n'avait pas juridiction sur eux, l'Église confia le soin d'extirper l'idolâtrie à des « visiteurs », juges ecclésiastiques, flanqués de notaires et d'assistants qui, au cours de leurs tournées, menaient dans les villages des enquêtes très serrées sur les pratiques superstitieuses, invitant les paysans à se confesser et à dénoncer les idolâtres. Si besoin était, ils soumettaient les suspects à la question. Le degré de repentir déterminait la sévérité du châtiment : les païens endurcis étaient fouettés ou exilés, les relaps envoyés aux galères ; des milliers d'idoles furent détruites, des sanctuaires rasés, les biens des *huaca* vendus aux enchères et les terres affectées à leur culte attribuées à une église ou à une chapelle catholique.

Les prêtres espagnols firent de leur mieux pour supprimer les danses indigènes dans lesquelles ils flairaient « luxure et idolâtrie ». Huaman Poma de Ayala, dans sa curieuse chronique où, par la parole et le dessin, il stigmatise l'oppression espagnole, supplie les autorités de ne pas détruire le folklore musical du pays et de ne pas « effrayer et mortifier des pauvres gens qui s'amusent, leur travail fini, et qui célèbrent des fêtes pendant lesquelles ils chantent, dansent et mangent entre eux, au milieu de leur pauvreté, sans offenser personne ». Cette humble requête était justifiée. Les *Constituciones* synodales de l'archevêché de Lima exigeaient la « suppression des danses, chants ou *taquis* (danses) anciens et que tous les instruments de musique fussent brûlés ».

Ces redoutables « visites » se perpétuèrent jusqu'au XVIIIe siècle. Leur résultat fut médiocre puisque, aujourd'hui encore, la plupart des Indiens du Pérou et de la Bolivie sont des semi-païens. Les « visiteurs » mesuraient d'ailleurs l'inutilité de leurs efforts et ne cachèrent pas leur désarroi devant la résistance toute passive, mais obstinée, que les Indiens leur opposaient.

Les prêtres ont trop souvent été des oppresseurs aussi durs et cupides que les *corregidores*. L'Église a manifesté pendant la période coloniale un racisme qui a été, pour les Indiens et les métis, une source constante d'amertume. Ce n'est qu'avec répugnance qu'elle permit aux Indiens d'accéder à

La mauvaise confession.

l'eucharistie et, malgré la volonté expresse de Rome et du roi d'Espagne, elle se refusa à ordonner prêtres les Indiens ou même ceux qui avaient du sang indien dans leurs veines. Dans les *doctrinas*, les curés négligèrent de donner la moindre instruction religieuse à leurs ouailles tout en les contraignant par des moyens policiers à assister aux services. Les péchés étaient expiés à coups de fouet, selon un tarif précis : trois cents pour avoir dansé et chanté à l'ancienne manière, cinquante en cas de concubinage, vingt-quatre pour s'être dérobé à la confession ou à la messe. A ces châtiments corporels s'ajoutaient diverses peines infamantes comme celle d'être tondu.

Le bilan du régime colonial ne fut pas entièrement négatif. Les ressources des Indiens s'augmentèrent des nouvelles espèces végétales ou animales introduites par les Espagnols. Ils les adoptèrent d'abord afin de s'acquitter du tribut puis, petit à petit, les incorporèrent à leur économie. Si certaines plantes, telles les raves et les fèves, tardèrent à s'implanter, c'est que leur emploi doublait celui de végétaux indigènes. Grands amateurs de *chicha*, bière de maïs, les Indiens ne s'intéressèrent que médiocrement à la culture de la vigne. Enfin, n'oublions pas que les différents climats du Pérou ont déterminé le choix des espèces adoptées. Les animaux domestiques furent acceptés avec d'autant plus d'enthousiasme que les Indiens, étant des éleveurs, comprirent rapidement les avantages qu'ils pourraient tirer des chevaux, des ânes, des bœufs et des moutons, avantages bien supérieurs à ceux que leur procuraient les lamas et les alpacas. De nouveaux métiers furent introduits, auxquels les Indiens s'adaptèrent fort bien. Dès le XVIIe siècle, il existait au Pérou des ateliers où les Indiens fabriquaient des meubles, des objets en verre, des tissus de type européen et des bijoux en argent. L'usage de la monnaie devint général, sauf dans les transactions des Indiens entre eux, le système des échanges directs ayant survécu jusqu'à nos jours.

Renaissance et déclin des Incas

Aux yeux des Espagnols, la vice-royauté du Pérou perpétuait, sous un nouveau dieu et un nouveau souverain, le *Tuantin-suyu*, l'Empire des quatre quartiers. Les anciennes provinces, *huamani*, conservèrent leurs limites. Les territoires désignés sous le nom de « Pérou » étaient ceux compris à l'intérieur des frontières de l'ancien Empire inca. Il fallut l'occupation de l'Espagne par une dynastie française, aux conceptions administratives plus abstraites, pour qu'une atteinte fût portée à l'intégrité de l'héritage des Incas. En 1717, l'Équateur fut détaché de la vice-royauté du Pérou pour être réuni à la Colombie.

La Couronne d'Espagne respecta les positions et les titres des chefs incas, dans lesquels elle voyait des « seigneurs » comparables à ceux de la mère patrie. Elle les confirma dans leur rang et accorda de grands privilèges à ceux qui étaient en mesure de prouver leur ascendance royale ou qui se réclamaient d'une ligne de *curaca*. Au XVIIIe siècle encore, les nobles dont les titres étaient contestés pouvaient défendre leurs prétentions en justice. Il était socialement si avantageux d'avoir dans les veines une goutte de sang inca que des familles créoles se firent établir des généalogies de complaisance pour se rattacher aux anciens rois.

Les chefs provinciaux continuèrent à régenter les territoires dont la juridiction leur avait été confiée par l'Inca. Certains se transformèrent en durs oppresseurs de leur peuple. Exempts eux-mêmes du tribut, ils en percevaient le montant et pressuraient leurs sujets qu'accablaient déjà les exigences des *encomenderos*.

Si, parmi les Incas, il y eut des rebelles et des résistants, tels Manco-Inca et Titu-Cusi, on compte dans leurs rangs un nombre encore plus grand de collaborateurs. Le plus fameux d'entre eux est Paullu-Inca, qui fut toujours l'ami des Espagnols, malgré la gifle qu'il reçut de Pizarro. A force de servilité, il se fit attribuer des *encomiendas* et le palais du Colcampata, dont les ruines se dressent aujourd'hui encore au-dessus du Cuzco. Alors qu'à Vilcabamba, l'Inca et ses compagnons vivaient en hors-la-loi, leurs frères et cousins de la capitale s'accommodaient du nouveau régime et singeaient la noblesse espagnole. A lire les éloges qui leur sont décernés, on pourrait croire qu'ils n'avaient d'autre ambition que de s'habiller à la castillane et de caracoler sur de beaux chevaux.

Les jésuites fondèrent des collèges pour les enfants de l'aristocratie indienne. Ils s'efforcèrent de faire de ceux-ci des hidalgos frottés de latin et écrivant l'espagnol avec élégance et même préciosité. Cette nouvelle élite, de sang indien, mais d'éducation castillane, était naturellement catholique et ignorante des « superstitions » du bas peuple.

A la fin du XVIe siècle et au début du XVIIe, la noblesse inca était presque entièrement assimilée et s'était identifiée aux vainqueurs. Elle faisait partie de la classe dirigeante et participait dans une certaine mesure à ses privilèges. Ce n'est donc pas sans surprise que l'on constate, dans la seconde moitié du XVIIe siècle, un changement d'attitude des nobles envers leur peuple. Les humiliations et les souffrances des masses indigènes, dont ils semblaient n'avoir cure, cessent de leur être indifférentes. Des nobles indiens osent protester contre les injustices dont leurs sujets sont abreuvés et ébauchent même des gestes de révolte. Cette prise de conscience s'accompagne d'un renouveau d'intérêt pour le passé de leur race qui leur apparaît d'autant plus glorieux que l'imprécision des souvenirs se prête à tous les embellissements. C'est souvent dans de simples détails que s'exprime ce retour à la tradition indigène. Les dames indiennes se font peindre en costumes de princesses incas, et des gobelets en bois laqué, *queru*, sont décorés d'anciens motifs ou de scènes empruntés à la tradition incaïque.

C'est à cette époque que se situe la composition d'un drame quechua célèbre, *Ollantay*, qui est considéré comme le monument littéraire le plus important en langue quechua. La première version que nous en possédions est du milieu du XVIIIe siècle et, même si elle n'était qu'une copie d'un texte plus ancien, celui-ci a dû être écrit au XVIIe siècle par quelque ecclésiastique parlant le quechua et féru de théâtre castillan.

Le sujet, tiré d'un épisode historique, daterait du règne de l'Inca Yupanqui, au XVe siècle. Dans la première scène, le général Ollantay s'ouvre de son amour pour la fille de l'Inca, Cusi-Coyllur (Étoile de joie) à son serviteur Piqui-chaqui (Pied de puce) qui, tout en bouffonnant, cherche à l'en détourner. Sur le conseil du grand prêtre, Ollantay confie son amour à l'Inca lui-même, qui lui rappelle son rang et la loi inexorable qui lui interdit de mêler son sang à celui des fils du Soleil. Ollantay, dépité et menacé d'être arrêté, se réfugie parmi les siens dans la vallée de l'Urubamba et se révolte contre l'empereur. Pachacuti, ayant appris que sa fille, séduite par Ollantay, avait donné naissance à une fille, enferme celle-là dans un souterrain et la destine à devenir une « Vierge du Soleil ».

L'armée que l'Inca envoie contre Ollantay sous le commandement de Rumiñawi est défaite. Dans l'intervalle, Pachacuti meurt et le général battu veut sa revanche. S'étant mutilé le visage, il se présente dans la forteresse d'Ollantay comme un transfuge. Ollantay, magnanime, lui donne asile, mais le traître profite d'une grande fête célébrée sur son conseil pour introduire ses soldats dans le fort et s'emparer d'Ollantay. Celui-ci est amené captif devant le nouvel Inca, Topa-Yupanqui, qui n'éprouve pas d'inimitié pour Ollantay. Il lui pardonne, délivre Cusi-Coyllur et sa fille. L'Inca désire que la tristesse cède à la joie.

L'argument aurait dû convaincre les lecteurs les moins critiques qu'il ne pouvait s'agir que d'une tragédie espagnole dont la langue et le thème étaient incas. Le déroulement de l'action, les personnages, leurs sentiments, tout dans ce drame porte la marque des conventions du théâtre ibérique du XVIIe siècle. Mètres et rimes appartiennent aussi à la versification espagnole. Toutefois l'œuvre contient quelques courtes pièces folkloriques qui ont été introduites par souci de couleur locale. La tragédie d'Ollantay, œuvre littéraire médiocre, quoi qu'en disent des auteurs aveuglés par leur enthousiasme pour les Incas, n'est pas l'unique pièce de théâtre en quechua que nous possédions. Au XVIIe siècle, des ecclésiastiques espagnols ont composé des tragédies et comédies édifiantes en langue indigène sur le modèle des *autos sacramentales* de leur pays.

C'est précisément au moment où naît ce nationalisme encore folklorique et sentimental qu'éclatent au Pérou les premières révoltes indigènes. Les unes sont de simples mouvements de colère provoqués par les exactions des *corregidores*, d'autres sont des insurrections concertées et longuement mûries. Les *curaca*, qui avaient pu passer aux yeux de leur peuple pour des traîtres et des collaborateurs, en furent souvent les promoteurs et les chefs.

Certains rebelles furent des modérés ne souhaitant que des réformes modestes : droit de recours contre les autorités coloniales, accès aux ordres et dignités ecclésiastiques, éducation des Indiens, abolition du service personnel, suppression des achats forcés d'objets inutiles. D'autres, plus exaltés et plus audacieux, songèrent vaguement à une restauration de l'Empire et à une séparation totale d'avec la métropole. Le premier signe du mécontentement général et de la solidarité de la noblesse avec le peuple est un mémoire écrit par un descendant des rois du Chimu, Vincente Mora Chimu qui, autorisé à se rendre en Espagne, s'y fit l'interprète des plaintes et doléances de ses pairs.

La première révolte sérieuse éclate en 1737 et s'étend sur dix-sept provinces. Elle est durement réprimée. L'année suivante, une conjuration est dénoncée à Oruro. Un métis, prétendu descendant des Incas, la dirige avec l'intention de restaurer l'Empire. Vers le milieu du siècle, un certain Santos, élève des jésuites, qui assurait avoir voyagé en Europe et en Afrique, réussit à soulever les tribus des Indiens campas et amueshas, parmi lesquelles les franciscains avaient établi de florissantes missions. Les Indiens qui se révoltèrent à la voix de ce mystérieux personnage, n'avaient pas été soumis par l'Inca et vivaient en dehors des limites du *Tahuantinsuyu*. Santos ne s'en proclama pas moins Inca et, troquant son nom contre celui d'Atahuallpa, prit le titre d'Apu-Inca. Aucune expédition ne parvint à se saisir du rebelle, qui s'enfonçait dans la forêt chaque fois qu'une action était dirigée contre lui.

L'agitation provoquée au Pérou par la révolte de Santos

Atahuallpa amena les caciques du Cuzco à s'interroger sur leurs responsabilités. C'est alors qu'aurait pu se former l'idée d'une insurrection destinée à la restauration de l'Empire. Un moine franciscain, descendant par sa mère de l'empereur Topa-Yupanqui, prêcha la modération, et proposa de porter devant la Couronne d'Espagne la cause des Indiens opprimés. Il rédigea un mémoire intitulé : « La représentation véritable et l'exclamation humble et lamentable que la nation indienne fait à Sa Majesté ». Il fit publier son texte à Lima et, muni de ses exemplaires réussit, trompant la vigilance des autorités espagnoles, à s'embarquer à Buenos Aires, pour l'Espagne. Par un acte d'audace assez remarquable, il jeta dans le carrosse royal un exemplaire de son opuscule. Le roi en prit connaissance ainsi que le Conseil des Indes. L'impression qu'ils en reçurent fut favorable, mais leurs bonnes intentions se perdirent dans les sables de la bureaucratie.

Les Espagnols ne se sentirent sérieusement menacés que par la révolte déclenchée par un *curaca*, José Gabriel Condorcanqui (1780-1781), plus connu sous le nom de Tupac-Amaru II, qu'il prit en souvenir de l'Inca décapité en 1572 et dont une fille avait épousé un de ses arrière-grands-pères. José Gabriel, qui prétendait au titre de marquis d'Oropesa, était un représentant typique de la classe indienne la plus privilégiée. Relativement riche, il avait reçu une bonne éducation et maintenait d'excellentes relations avec les autorités coloniales. Aucun motif personnel ne semble l'avoir poussé à prendre la tête de la plus formidable jacquerie que les Espagnols eurent à affronter depuis le soulèvement de Manco-Capac. Seules la pitié et la colère semblent l'avoir jeté dans la rébellion. Depuis longtemps, José Gabriel s'était intéressé au sort de ses sujets indiens et avait essayé d'obtenir la suppression des abus dont ils souffraient. A-t-il jugé que ses démarches n'aboutiraient pas et, exaspéré par les excès des *corregidores*, a-t-il cédé à un accès de rage aveugle ? Le fait est qu'il donna le signal de la révolte en faisant pendre un *corregidor* espagnol particulièrement détesté. Soixante mille paysans indiens le suivirent, mais Tupac-Amaru n'était ni un stratège, ni un politique. Il ne sut pas tirer parti de sa supériorité numérique et de l'effet de surprise qui lui avaient valu quelques victoires initiales. Il fut finalement battu par des troupes espagnoles mieux équipées ; capturé, il fut condamné à être torturé, puis écartelé sur la grande place du Cuzco.

Trop de haine s'était accumulée dans le cœur des Indiens pour que le supplice de Tupac-Amaru et des siens put arrêter la révolte dont il avait été le promoteur. Les Indiens aymaras de la région du Titicaca, réputés à l'époque incaïque pour leurs vertus guerrières, continuèrent la lutte. Leur chef, Julian Apasa, mit même le siège devant La Paz, la capitale actuelle de la Bolivie. Cet Aymara, sans doute d'humble extraction, était un homme remarquable. Tenace, intelligent, habile tacticien, il essaya de faire des paysans qui combattaient sous ses ordres une véritable armée, sachant manier le mousquet et tirer du canon. Il avait organisé son camp à la façon d'une ville espagnole. Le temps lui manqua pour exécuter ses grands desseins. Il échoua, ainsi que son successeur Andres Tupac-Amaru, qui avait essayé de détruire La Paz en détournant sur la cité, construite au fond d'une vallée, les eaux d'un torrent qu'il avait fait endiguer.

En moins de deux ans, José Gabriel Tupac-Amaru s'était transformé dans l'imagination populaire en un personnage fabuleux autour duquel se cristallisèrent des rêves messianiques. Un Indien qui se disait son cousin souleva la province de Huarochiri en annonçant que José Gabriel, martyrisé sur la grande place du Cuzco, avait ressuscité et que, miraculeusement transporté dans le royaume de l'Eldorado, en pleine forêt amazonienne, en était devenu le roi. Cette insurrection, elle aussi, fut sans lendemain.

Les autorités espagnoles, interprétant justement ces nombreuses révoltes comme un réveil du vieux nationalisme inca, prirent une série de mesures qui révélèrent la nature de leurs craintes. Les généalogies des descendants, véritables ou non, des « rois païens », furent désormais soumises à l'approbation du roi d'Espagne ; les titres et fonctions des caciques furent abolis ; le port des vêtements anciens et de la *maskapaicha*, la frange impériale, fut interdit. Les portraits d'Incas, qui « abondaient dans les maisons des Indiens qui se tenaient pour nobles, afin de témoigner de leur origine », furent confisqués ; les conques marines, « dont les sons étranges et lugubres annoncent le deuil et le triste souvenir du passé », furent bannies. Il était défendu d'user des vêtements sombres que les Indiens « portaient en quelques provinces en signe du deuil de leurs monarques défunts, de la conquête qu'ils jugent avoir été fatale pour eux, et heureuse pour nous ». Le titre d'Inca, apposé après une signature, n'était plus toléré, car il « causait une impression infinie sur les gens de leur classe ». Enfin, on encouragea les curés à enseigner l'espagnol aux Indiens, afin d'effacer toute distinction entre eux et les Espagnols. Tous les descendants des Incas furent traqués. Beaucoup furent exécutés. Un groupe de quatre-vingt-dix personnes, comprenant des femmes et des enfants, dont le seul crime était d'avoir du sang inca dans les veines, fut déporté en Espagne où la plupart moururent en prison.

En 1815, donc neuf ans avant la bataille d'Ayacucho, où le Pérou gagna son indépendance, les caciques indiens se lancèrent dans une nouvelle révolte. Celle-ci étant une fois encore prématurée, ils furent battus et massacrés, si bien que, lorsque le sort des nouvelles républiques andines se décida, les masses indiennes, ayant perdu leurs chefs héréditaires, ne purent se faire entendre.

Certains promoteurs de l'indépendance des colonies espagnoles de l'Amérique du Sud songèrent, vaguement il est vrai, à une restauration de l'empire du Soleil. En 1801, Miranda suggéra une remise du pouvoir à deux Incas, dont l'un résiderait dans la capitale, et l'autre parcourrait le pays. Ces deux souverains auraient nommé des censeurs, des édiles et des questeurs.

Au congrès de Tucuman, en 1816, le général Belgrano recommanda l'instauration d'une monarchie tempérée, avec les Incas pour souverains, tant, selon lui, il était juste de « restaurer cette Maison dépossédée du trône de façon inique ». Ainsi pensait-il éviter une révolution sanglante, car la reconstitution de l'Empire serait accueillie avec enthousiasme. Bolivar lui-même préconisait l'adoption par l'Amérique du Sud d'un régime monarchique et se demandait si, afin d'enlever au titre de roi ce qu'il avait d'odieux, il ne convenait pas de le remplacer par celui d'Inca, « auquel les Indiens étaient si profondément attachés ». Lors de la victoire de Junin, un journal péruvien écrivait : « Le sang des Incas va être vengé », et l'hymne péruvien évoque « la haine et la vengeance héritées de leur Inca et seigneur ».

En fait, ces intentions se réduisaient surtout à des rêveries sentimentales et romantiques. L'aristocratie créole fut aussi prompte à saisir le pouvoir qu'à défendre ses privilèges. Elle entendait bien se libérer de ce qu'elle appelait « le joug espagnol », mais elle était opposée à tout changement de la condition des masses indiennes. Nés dans le pays, les grands propriétaires terriens avaient, plus que les Espagnols de la métropole, le mépris des indigènes et mesuraient mieux le danger de leurs révoltes. Le régime colonial avait exploité et humilié les Indiens, mais avait garanti la possession des terroirs communaux. En dépit des grands principes de liberté, d'égalité et de fraternité dont s'inspiraient les nouvelles constitutions des pays andins, le sort des Indiens, loin de s'améliorer, ne fit qu'empirer tout au cours du XIXe siècle.

Le décret de Bolivar sur « la répartition des terres des communautés » (8 avril 1824) demeure un exemple d'une mesure législative dont les conséquences réelles furent en contradiction totale avec le but que son auteur s'était proposé. Bolivar, soucieux de constituer un paysannat indigène, voulait provoquer la division des terres communales pour faire des Indiens de petits propriétaires. Du coup, les communautés indigènes perdirent leur personnalité juridique et leur existence légale, et les individus, leurs dernières garanties contre l'arbitraire des blancs. Telle est l'origine de ce terrible fléau qu'est pour l'Indien le *gamonalismo,* l'accaparement frauduleux des terres indigènes. Les paysans, divisés et ignorants de la loi, furent impuissants à défendre leurs biens contre les machinations des blancs, alliés aux autorités locales et aux juges. C'était un jeu de faire « signer » à un illettré des papiers par lesquels il renonçait à ses droits ou de lui confisquer ses terres sous un prétexte futile. Si, de désespoir, les Indiens se révoltaient, l'armée nationale était toujours disponible pour une répression qui lui permettait le pillage et le viol. Les meneurs, s'ils n'étaient pas tués « en cherchant à fuir », étaient flagellés à mort. Beaucoup de grandes *haciendas* andines, dont les propriétaires menaient si joyeuse vie à Paris, se sont constituées par ces méthodes. Les Indiens, dépouillés de leurs terres, se transformèrent en *colonos* ou *huasipungos* des grandes *haciendas.* A leur sujet, politiciens et écrivains libéraux parlent volontiers de « régime féodal ». Le terme est impropre, puisque l'*hacienda* correspond, en plein XXe siècle, à la grande propriété gallo-romaine ou mérovingienne, avec ses tenanciers et ses esclaves.

Le *colono* est lié au patron par un contrat tacite qui l'oblige à fournir son travail et celui de sa famille en échange du droit de bâtir une hutte sur le terrain de l'*hacienda*, d'y exploiter quelques maigres parcelles et d'y mener paître ses animaux. Les détails de ces accords varient de région à région. Ils prévoient généralement quatre jours de la semaine dus au patron, sans préjudice d'innombrables charges supplémentaires. Le *colono* est, en outre, tenu de servir son patron à domicile

Les masses indiennes.

pendant des périodes plus ou moins longues. C'est le droit de *pongueaje* qui était et demeure, là où il est encore appliqué, la servitude la plus détestée des Indiens. En Bolivie, où la révolution de 1952 a mis fin à tous ces abus, le *pongo* ne pouvait se présenter chez le patron les mains vides, mais devait lui apporter du combustible. Pendant son séjour, il n'était pas nourri et, comme il est dit dans le texte des doléances présentées par les Indiens de Sacabamba, il était obligé de pourvoir à sa subsistance « alors que les chiens du patron qui ne servent même pas à garder la maison et que l'on maintenait par ostentation » étaient gavés sous ses yeux.

Le transport des produits de l'*hacienda* à la ville incombait aux Indiens, qui, à cet effet, employaient leurs bêtes de somme ou, à leur défaut, leur propre dos. Quand les camions desservirent les *haciendas*, la corvée de portage fut remplacée par une redevance en argent. Parmi les « charges » dont se plaignaient les Indiens, figuraient les « commissions ». Pour une bagatelle, un paquet de cigarettes, le malheureux *pongo* était envoyé à la ville, dût-il traverser des chaînes de montagnes sous les intempéries. Les « commissions » les plus redoutées des Indiens étaient celles qui les contraignaient à se rendre dans les vallées chaudes. Ces hommes des hautes altitudes craignaient à juste raison d'y contracter des maladies tropicales pour prix de leur peine.

Ajoutons encore aux « charges » les nombreuses redevances, sous forme de « cadeaux » aux patrons, les dîmes et casuels des curés et le tribut à l'État (supprimé en Bolivie en 1882). Face à ces lourdes dépenses, les salaires des Indiens étaient dérisoires. Même à l'époque moderne, le minimum prévu par la loi n'était pas appliqué en leur faveur. Les patrons pouvaient donc céder à un autre propriétaire ou à une entreprise quelconque les journées de travail de leurs *colonos* et obtenir un bénéfice substantiel en se faisant verser leur salaire légal. C'est sous cette forme odieuse que la *mita* coloniale s'est perpétuée jusqu'à nos jours au pays des Incas. A une date relativement récente, la salive même de l'Indien faisait objet de prestations : lorsqu'on préparait la *chicha*, dont la salive active la fermentation, il y avait des corvées de mastication.

Cette exploitation, si impitoyable qu'elle fût, ne suffisait point à garantir la sécurité de l'Indien. Ses champs avaient-ils belle apparence, le patron le délogeait et se les appropriait. Ses troupeaux prospéraient-ils, il était contraint de les vendre à vil prix.

Telles sont, brièvement résumées, quelques-unes des formes d'oppression qui ont fait des descendants des Incas ces êtres défiants, renfermés, désespérément humbles, que l'on rencontre en pays andin. Leur fierté a été brisée, mais non pas leur énergie.

Les Incas au XXe *siècle*

De la civilisation que nous avons évoquée dans ce livre, que reste-t-il aujourd'hui ? S'est-elle éteinte, ne laissant d'autres traces que les ruines de ses cités, ses tombes et les textes des vieilles chroniques espagnoles qui nous la décrivent ? Ses institutions et ses croyances ont-elles à jamais disparu, ou continuent-elles à modeler la vie des hommes qui sont ses héritiers ?

Dans les territoires sur lesquels les souverains du Cuzco avaient étendu leur pouvoir, six à sept millions d'Indiens parlent encore leur langue, la *runa-simi*, plus connue sous le nom de quechua. Si paradoxale que puisse paraître cette constatation, le quechua est probablement plus répandu aujourd'hui qu'il ne l'était au temps des Incas. A l'exception de l'aymara, qu'utilisent un million d'Indiens boliviens et péruviens, et de l'uro, que seuls connaissent encore quelque cent ou deux cents individus, les innombrables langues et dialectes parlés dans l'Empire se sont éteints. C'est grâce à l'Église catholique que le quechua, que les Incas imposaient à leurs sujets, a fini par triompher des langues rivales et est devenu la *lengua franca* des Terres Hautes, de l'Équateur au nord de l'Argentine. Il est même parlé par des peuplades n'ayant jamais été assujetties aux Incas. Loin de perdre du terrain, le quechua, dont les missionnaires se servent pour évangéliser les tribus sauvages, en gagne chaque jour dans le bassin amazonien.

Les Indiens n'ont pas l'orgueil de leur langue. Ils la considèrent un peu comme une prison dans laquelle ils seraient enfermés et dont ils souhaitent s'évader afin d'être plus aptes à défendre leurs intérêts et à s'intégrer au reste de la nation. Souvent, le zèle d'éducateurs, qui cherchent à apprendre aux enfants à lire et à écrire dans la langue de leurs ancêtres, est mal compris des parents, qui insistent pour que l'espagnol soit enseigné dans les écoles rurales et qui voient dans l'intérêt porté au quechua une forme sournoise de discrimination. On peut espérer que l'enthousiasme des intellectuels de gauche et des indianistes pour tout ce qui est indien et, en particulier, pour le folklore andin, finira par modifier cette attitude et que la pratique de la *runa-simi,* « la langue des hommes », redeviendra un sujet d'orgueil.

Les Indiens andins qui n'ont pas été réduits au servage dans les *haciendas* sont encore groupés en « communautés » qui, à bien des égards, continuent les anciens *ayllu* incas, bien que les rapports entre la *comunidad* moderne et l'ancien *ayllu* soient loin d'être clairs. Parmi les caractères communs aux deux, figurent au premier chef la gestion collective de certaines terres et l'inaliénabilité des autres. Les parcelles que chaque famille possède en toute propriété ne peuvent, en aucun cas, être cédées à un « étranger », c'est-à-dire à un blanc, métis ou Indien, qui n'appartient pas à la *comunidad.* La nécessité de faire front jadis contre les empiètements des grands propriétaires terriens et aujourd'hui contre les blancs et les métis des bourgs et des villes, a contribué à cimenter les *comunidades* et à créer entre leurs membres de profonds sentiments de solidarité. Grâce à cette cohésion, maintenue envers et contre tous, elles ont survécu en dépit des mesures de toutes sortes prises pour les détruire. Ce n'est que depuis la Constitution de 1919 que le Pérou reconnaît aux *comunidades indigenas* une personnalité juridique. Aujourd'hui, il existe même des communautés artificielles qui ont été créées à seule fin de figurer comme telles dans un registre et de bénéficier de la protection de l'État. Comme par le passé, certaines d'entre elles sont divisées en deux secteurs, *hanan et hurin* (haut et bas) dont les membres se sentent unis par des liens qui les opposent parfois à ceux de l'autre « moitié ».

Luttes et souffrances ont abouti à faire des villages indiens autant de petites sociétés repliées sur elles-mêmes. La routine qui les caractérise n'est point seulement le fait de l'isolement ou de la misère, mais parfois aussi d'une sorte d'ignorance voulue que les sociologues qualifient de « défensive ». En se refusant à tirer parti des alternatives que le monde extérieur leur offre, en restant farouchement attachés aux traditions et aux normes locales, les Indiens cherchent à préserver, autant que possible, leur ordre social et leur système de valeurs. La pauvreté, qui remonte loin, idéalisée, est devenue vertu. La simplicité du vêtement et de la demeure, la frugalité sont, pour eux, autant d'impositions morales qui constituent des obstacles au changement et à l'amélioration du niveau de vie. Quand l'équilibre est rompu entre consommation et production par suite de l'accroissement de la population, de la perte des terres de culture ou pour quelque autre motif, la communauté ne réagit pas en cherchant de nouvelles ressources ou en améliorant le rendement de ses champs, mais en se restreignant davantage. Chaque fois donc que la dépense excède la capacité de production, la communauté rétablit l'équilibre par une diminution de la consommation. C'est par des économies réalisées sur la satisfaction des besoins que ces groupes tentent de sauvegarder leur intégrité.

Le problème fondamental de tous les Indiens andins est celui de la terre. Tandis que les *ayllu* pouvaient jadis, sans en souffrir, être dépouillés d'une partie de leurs parcelles en faveur de l'Inca ou des dieux, aujourd'hui il est peu de *comunidades* qui disposent d'un terroir suffisamment étendu pour assurer à une population croissante les moyens nécessaires à sa subsistance et, à plus forte raison, le surplus indispensable à une économie qui dépend de plus en plus du marché. La « faim de la terre » revêt parfois des formes obsessionnelles. Elle donne lieu à d'interminables procès que les Indiens s'intentent mutuellement et dont les seuls bénéficiaires sont les *tinterillos*, ces hommes de loi véreux qui, depuis le XVIe siècle, vivent de l'exploitation des indigènes. Sachant qu'il n'a rien à espérer des autorités et du clergé, lorsque l'injustice et l'oppression sont devenues par trop cruelles, l'Indien n'hésite pas à recourir à la révolte. Il n'ignore pas que tout soulèvement est vain et que la répression sera sanglante. La fréquence de ces rébellions nous donne la mesure de son désespoir.

Les propriétés des Indiens, déjà insuffisantes pour permettre le développement d'une économie saine, sont rarement d'un seul tenant. La forte poussée démographique ainsi que l'application des lois successorales modernes ont abouti à l'émiettement ou, plus exactement, à la pulvérisation des biens fonciers. Sur la rive orientale du Titicaca, il est peu de biens fonds qui ne soient fragmentés en moins de quinze ou vingt lopins. Beaucoup d'Indiens se plaignent de ne posséder que des sillons dispersés à de grandes distances les uns des autres. Chucuito, village d'apparence prospère et jouissant d'un climat tempéré, ne compterait que quinze ou vingt familles en état de vivre entièrement des produits de leurs terres. Le reste de la population doit trouver des moyens d'existence en dehors de l'agriculture. Beaucoup de cultivateurs demandent à l'élevage un supplément de ressources, mais le développement de cette activité se heurte à l'insuffisance des pâturages. Les Indiens qui ont cherché à augmenter leurs troupeaux se sont vus contraints de les mener paître sur les terres des *haciendas*, moyennant de lourdes redevances en nature ou en services personnels. De tout cela a résulté une émigration vers les villes qui prend chaque jour une importance plus grande. Lima qui, au siècle passé, se flattait d'être une ville « blanche » ou tout au plus métisse, compte aujourd'hui une population d'environ un demi-million d'Indiens de la sierra, entassés dans d'affreux bidonvilles.

Malgré l'impitoyable chasse faite jadis aux idoles et aux idolâtres, les Indiens modernes, tout en se voulant catholiques, n'en continuent pas moins d'adresser des prières et des sacrifices aux vieilles divinités andines. Le culte solaire n'est pas entièrement oublié. Dieu et le Christ sont parfois identifiés au Soleil, salué encore du titre de *Inti-huayna Capac*, « Soleil jeune chef ». Il dispense la force et la santé aussi. Sujet lui-même à la maladie, il peut la communiquer aux eaux par l'intermédiaire de l'arc-en-ciel. En Bolivie et dans le sud du Pérou, la divinité païenne qui reçoit les hommages les plus fervents est la *Pacha-mama*, « la Terre-mère », gardienne des récoltes et des troupeaux. Mère bienveillante et généreuse, elle a été assimilée à la Vierge. Les rites agraires, observés avec tant de scrupule, sont placés sous son invocation.

Il n'est église ou chapelle, si humble soit-elle, qui ne contienne une statuette de Santiago (saint Jacques), le saint guerrier, protecteur des conquistadors, qui, empruntant les traits d'un cavalier du XVIIe siècle, brandit son épée et écrase le démon sous les sabots de son cheval. Pour les descendants des

Santiago, le seigneur des éclairs.

Incas, Santiago est le seigneur des éclairs, Apu-illampu. On lui sacrifie des lamas sur les lieux frappés de sa foudre. Les personnes nées au moment où un éclair sillonne le ciel ou qui, foudroyées, ont survécu, sont investies de pouvoirs mystérieux qui font d'elles des magiciens et des sorciers. En fait, la magie ne peut être pratiquée que si on a reçu le baptême du feu céleste.

A côté des grandes divinités héritées de la mythologie préhispanique, les Indiens adorent d'innombrables esprits, *auki, apu, mallcu,* qui habitent les montagnes, les rivières, les étangs et les lacs. Ce sont les anciennes *huaca,* dont il a été si souvent question plus haut. Les villages sont placés sous la protection de génies symbolisés par des pierres dissi-

Les symboles païens servent à glorifier le Dieu chrétien.

mulées dans des cavernes ou cachées sous terre. Les huttes familiales sont gardées par un esprit qui, sous forme de chat ou de faucon, reçoit des libations sanglantes.

Au marché, dans les villes aussi bien que dans les villages, des secteurs sont occupés par des vendeuses d'objets destinés aux offrandes traditionnelles à la *Pacha-mama* et aux esprits. Touffes de laine, papier argenté ou doré remplacent maintenant l'or ou l'argent dont les dieux étaient autrefois avides. De même, les articles les plus demandés sont des fœtus de lama, de mouton ou de porc qui, acquis à bas prix, sont substitués à l'animal sacrificiel. Les Indiens devenus pauvres ont réussi à se convaincre que les divinités acceptent de bon cœur les simulacres d'offrandes qu'ils ne peuvent plus se procurer.

Les nombreuses fêtes de la liturgie catholique ont servi de prétexte à une expression religieuse riche et variée. Pour les faire coïncider avec les dates du calendrier cérémonial inca, les Indiens ont conféré à des fêtes mineures une importance considérable. *Corpus Christi* s'est substitué à l'*intip-raymi*, la grande fête du Soleil. L'invention de la croix, le 3 mai, correspond aux anciennes cérémonies agraires de la récolte, donne lieu à des danses et à des réjouissances complètement étrangères à la tradition chrétienne. Les mois creux entre les semailles et les récoltes sont, comme par le passé, un temps de liesse, marqué par des danses et des mascarades. Parmi les trois à quatre cents danses cataloguées, il n'est pas toujours aisé de distinguer celles qui remontent à la période préhispanique de celles qui, adoptées depuis la période coloniale, ont subi l'influence espagnole. Les danses guerrières, les danses de métier sont déjà signalées par les chroniqueurs espagnols, mais les danses mimées à caractère satirique sont d'origine plus récente, comme certaines danses pantomimes inspirées du vieux théâtre castillan.

En pays andin, on parle beaucoup de l'immobilisme de l'Indien. C'est lui qu'on accuse de la stagnation économique et de la lenteur du progrès matériel. Il y a dans de tels jugements une profonde injustice. Tout d'abord, on oublie que les ancêtres de ces mêmes Indiens ont créé une des civilisations les plus originales que le monde ait connues, et rendu habitable un milieu qui naturellement ne l'était guère. En outre, on ne pense pas assez au traitement brutal, sinon féroce, dont les fils des Incas ont été l'objet jusqu'à une date très récente, pour ne pas dire jusqu'à nos jours. Des caractères moins fermes auraient pu en être brisés. On se demande d'ailleurs qui pourrait remplacer l'Indien si, comme d'aucuns le souhaitent, il était éliminé. En Bolivie, où une révolution sociale et économique a fait des Quechuas et des Aymaras les propriétaires des terres que, depuis des siècles, ils cultivaient pour d'autres, leur attitude s'est transformée très rapidement. Se dépouillant de leur feinte humilité pour adopter un ton et un comportement plus dignes, ils rejettent le nom d'Indien et s'intitulent *campesinos*, paysans. Les milices indiennes ont défendu le nouveau régime et l'instruction aidant, l'Indien est appelé à prendre une place prépondérante dans la vie politique d'un pays où il constitue plus de la moitié de la population. Au Pérou et en Équateur, où la condition des Indiens continue à être misérable, on note des signes précurseurs de grands changements. L'Indien n'est plus isolé. Il émigre vers les villes, où il apprend l'espagnol et s'initie à la vie politique. Il commence à prendre conscience de sa force et accepte moins facilement l'impitoyable exploitation à laquelle il est encore soumis. On peut considérer comme un héritage de la tradition incaïque l'attachement de l'Indien à sa communauté et sa conception d'un progrès dans le cadre de celle-ci. Déjà plusieurs de ces groupes indigènes, las d'attendre un appui extérieur, ont pris leur destin entre leurs mains et se sont modernisés. Des *comunidades* ont construit des écoles, créé des bourses pour les enfants particulièrement bien doués, d'autres ont établi des fermes modèles. Une communauté du Mantaro a même construit une usine électrique dont elle tire d'importants revenus. Ces efforts collectifs ne seraient pas concevables sans la persistance de l'esprit de solidarité et de l'habitude de travailler en commun qui caractérisaient les anciens *ayllu* impériaux. Fait plus important encore, tous les Indiens parlant le quechua ont le sentiment d'appartenir à une nation, celle des Incas, et ils s'opposent aux métis et aux blancs au nom de leur héritage commun. En fait, les Indiens montagnards, de l'Équateur à l'Argentine, participent d'une civilisation beaucoup plus uniforme qu'à l'époque de l'Empire inca. L'instruction plus répandue leur a rendu familiers les noms des grands empereurs incas et leur a fait connaître la richesse et le bonheur des peuples qui leur étaient soumis. Quand, demain, les masses indiennes se soulèveront pour exiger que justice leur soit rendue et que la terre qui leur a été dérobée leur soit restituée, on assistera à une troisième renaissance des Incas. Cette ère nouvelle s'ouvrira lorsque l'Indien sera définitivement intégré à la société nationale dans les États successeurs du *Tahuantinsuyu*. Les révolutions qui s'annoncent dans les Andes en redonnant aux indigènes leur dignité d'hommes rendront disponibles une immense réserve d'énergies inutilement gaspillées.

Récemment, dans les villages perdus des Andes, des folkloristes ont recueilli un mythe, certainement ancien, qui exprime bien la nostalgie du passé et l'espoir de temps meilleurs. Jadis un homme fabuleux, du nom d'Inca-ri, fonda la ville du Cuzco à l'endroit où s'enfonça une baguette d'or. Il fut tué il y a longtemps par un chef blanc et sa tête fut enterrée près de Lima. Depuis lors, elle n'a cessé de pousser et elle reviendra, pourvue d'un corps. Ce sera le jugement dernier... L'empire des Incas sera restauré et le bonheur régnera à nouveau sur le vieux Pérou.

Revendication d'identité indienne

par Abdón Yaranga Valderrama

A partir de 1964 se développent dans la région andine des mouvements indianistes animés par des groupes ou des personnes originaires des communautés indigènes ou par des métis ralliés à leur cause. Ces mouvements présentent d'autres caractères que les mouvements indigénistes ou indianistes nés au début du siècle, dirigés par des groupes non indigènes et qui ont donné naissance, à certains moments troublés de l'histoire andine, à une des composantes essentielles de la production scientifique, artistique et idéologique. Ces premiers mouvements ont adopté des positions contradictoires entre elles : pour les uns, le salut et la justice pour le peuple indigène étaient intimement liés à la rupture des structures traditionnelles des communautés en question avec leur culture dans un cadre national différent; quant aux autres, ils invoquaient la survivance de la culture indigène sans poser le problème de la transformation de la société dans son ensemble, société génératrice d'oppression.

Pour nous faire une idée des mouvements indianistes actuels et tenter d'appréhender la manière dont les intéressés vivent leurs problèmes, nous allons exposer :

— les conclusions du congrès des communautés indigènes de Fajardo (Ayacucho, Pérou) concernant la revendication de leur identité. Ce congrès s'est tenu du 10 au 12 octobre 1964 ; y ont participé 40 communautés sur les 51 existant dans cette province ; elles étaient représentées par 75 délégués élus au cours d'assemblées générales de leurs communautés respectives;

— l'avis de M. Manuel Llamohja Mitma, originaire de la communauté de Concepción de Chacamarca (Cangallo-Ayacucho), dirigeant indigène et secrétaire général de la *Confederación campesina del Perú*, à propos des décrets-lois de Réforme agraire (1969) et du Statut spécial des communautés paysannes du Pérou (1970) promulgués par le gouvernement révolutionnaire des forces armées présidé par le général Juan Velasco

Alvarado, textes qui ont un rapport direct avec les communautés indigènes, et, pour finir :

— la « déclaration de Ollantaytambo à tous les peuples du monde » faite par les communautés indigènes *del Valle sagrado del Cuzco*, appartenant au Mouvement indien péruvien et à la délégation péruvienne au premier congrès d'Indiens d'Amérique du Sud (Cuzco, 1980).

Le congrès de Fajardo

Nos communautés déclarent que :

1° « Depuis l'arrivée des Espagnols, nous sommes victimes de vols, de vexations, d'humiliations, et soumis à la faim et à une ignorance totale. » « Nos propriétés, terres, pâturages et eaux ont été pillés et volés par les Péruviens-Espagnols (en quechua, un seul mot). Notre grande province de Willka Waman (Vilcashuamán) a été divisée en deux provinces : Fajardo et Cangallo (14 novembre 1910) pour rompre ainsi notre unité et nous priver de nos terres et pâturages naturels. »

2° Actuellement, on parle de réforme agraire, c'est-à-dire de terres, pâturages et eaux. Pour nous, réforme agraire est synonyme de récupération de nos propriétés et renforcement de notre ancien *ayllu*. Il faut donc :

a) considérer les communautés indigènes comme des unités de la Réforme agraire, en décidant qu'elles forment l'axe central autour duquel se développerait le processus dans le pays ;

b) centrer prioritairement les actions de la Réforme agraire dans les montagnes du pays, dont les conditions critiques sont reconnues par tous.

c) La Réforme agraire est un procesus de redistribution des terres et des droits sur ces terres, qui ne doit pas être confondu ni intégré à un processus différent comme celui du rattachement de terres nouvelles par la colonisation, ou par l'irrigation ; ce qui ne s'oppose pas au caractère complémentaire et bénéfique que cela peut avoir dans des cas spéciaux et à des fins économiques.

d) Les organes de planification et administration de la Réforme agraire dans toutes les régions et à tous les niveaux doivent être composés par d'authentiques représentants des *comuneros* et des travailleurs ruraux en général, et aussi par des représentants des associations professionnelles liées au problème.

3° Que toutes nos communautés soient reconnues légalement et nos propriétés respectées, et tout ce qu'on appelle coopérative doit signifier l'affermissement de notre propre organisation.

4° Que nos autorités soient traitées comme telles et non comme « collaboratrices » des autorités nommées par le pouvoir central et de la garde civile.

5° Depuis le XVIIIe siècle, nos *ayllu* ont lutté pour l'indépendance nationale, en formant des troupes rebelles dans lesquelles moururent nos meilleurs dirigeants au cours de combats ou fusillés par l'occupant, et beaucoup de nos villages furent brûlés comme Cangallo, Canaria ou Walla. Tous ces sacrifices n'ont servi à rien ; au contraire, notre misère, nos pertes de biens et de terres se sont accentuées. Apparemment, « nous sommes libres et indépendants par la grâce de Dieu » depuis 1824, mais quel genre de liberté avons-nous obtenu ? La liberté politique ? La liberté économique ? Ou bien la liberté de mourir de faim ?

6° Nos justes réclamations ont été réduites au silence par le feu et par le sang comme à Concepción de Chakamarka (1917-1959), et nos frères Juan Nieto, Carmen Zegarra, Pedro Chuchón et « maman » Guillén ont été fusillés (1922).

7° Exprimer notre solidarité à nos frères de la communauté de Poma Qocha (Pomacocha) — en conflit avec le couvent des religieuses de Santa Clara de Ayacucho, propriétaire en partie des terres de la communauté susdite [1].

L'avis de M. Manuel Llamohja Mitma au sujet du décret-loi n° 17716 sur la Réforme agraire et du décret suprême n° 37-70-A, Statut spécial des communautés paysannes du Pérou. Il est dit dans son Rapport au troisième congrès national de la confédération paysanne du Pérou (octobre 1970) :

« Parmi les objectifs de cette loi, certains sont contraires aux intérêts des paysans. Selon notre façon de voir et notre expérience :

a) elle instaure l'achat-vente de la terre, de telle sorte qu'elle protège les *gamonales* (propriétaires fonciers) et préserve leur statut d'exploiteurs, puisqu'elle leur assure le paiement du prix des terres grâce à la garantie de l'État qui paie les propriétaires fonciers séparément, pour ensuite se faire payer par les paysans, en les transformant en outre en capitalistes actionnaires des entreprises de l'État. De plus, elle leur réserve les meilleures terres, et les moins bonnes sont vendues aux paysans. Elle leur permet même de poursuivre leur répartition au sein de la même

1. Les notes sont de nous-même.

famille, excluant ainsi les paysans qui travaillent ces terres depuis des générations.

b) Elle oblige les paysans à l'achat de la terre par un contrat de vingt ans pendant lesquels les générations paysannes d'aujourd'hui et de demain seront engagées à payer la valeur de la terre. Si deux annuités ne peuvent être payées, les terres seront perdues; on leur livre les terres en tant que simples possesseurs et, lorsqu'il s'agit de les leur vendre, on les considère comme s'ils n'étaient pas les travailleurs de ces champs, puisque l'on ignore leur droit à la terre qu'ils travaillent et qui leur a été arrachée par la violence de la force armée.

c) Elle est répressive. La prison attend quiconque ose simplement exiger la stricte application de la Réforme agraire, qui consiste à remettre la terre à ceux qui la travaillent et l'abolition à la campagne du douloureux système, injuste et antisocial, de l'exploitation par les *gamonales* ; car, alors que d'un côté tous les moyens de propagande disent que les paysans ont été libérés des abus et de l'exploitation et qu'ils ont maintenant obtenu leur libération, on voit par ailleurs que les paysans des haciendas continuent à vivre dans les conditions antérieures. Sous prétexte de « réforme agraire », les grands propriétaires terriens réalisent rapidement leur propre réforme agraire en parcellant leurs propriétés entre leurs prétendus enfants, parents et frères ; d'autres vendent à des personnes économiquement puissantes.

Ceux qui dénoncent ces faits sont accusés d'être des saboteurs de la Réforme agraire, agitateurs et autres calomnies, et immédiatement les forces armées entrent en action en poursuivant les dénonciateurs, en les mettant en prison ensuite pour de longues années, et bien sûr rien de cela n'est connu. Cependant, on nous dit qu'il n'y a pas de prisonniers, mais nous savons avec certitude qu'il y en a des centaines.

d) Quant aux communautés paysannes, la loi veut qu'elles se convertissent en coopératives et disparaissent définitivement, effaçant par là leur existence immémoriale de même que le monument historique est l'orgueil national qui survit dès avant les Incas, et qui ont souffert de la privation des terres, des tentatives de destruction de l'institution à l'époque coloniale espagnole ainsi qu'aux temps de l'émancipation et de la République, mais qui ont résisté héroïquement et restent indemnes malgré tous les efforts de planification à leur encontre par les pantins réactionnaires de service. Selon la loi agraire et le statut des communautés édictés par l'actuel gouvernement militaire, les communautés doivent céder leurs terres aux coopératives, pour que ensuite les habitants des villages se convertissent en simples travailleurs et ne soient plus propriétaires des terres communales. Les coopératives seront dirigées par des gens du gouvernement et non plus par les paysans des villages. Par ailleurs, la loi ne rend pas aux communautés les terres dont les *gamonales* les ont dépossédées.

e) L'orientation du processus de la Réforme agraire officielle vise à créer de nouveaux et innombrables propriétaires agricoles en s'opposant par tous les moyens à la collectivisation des terres. L'institution de propriétaires individuels recherche l'apparition de l'individualisme, de la haine, de l'égoïsme à la campagne, crée l'esprit bourgeois et la mentalité de l'exploitation. En outre, grâce à cela, elle recherche l'expulsion du monde agricole de centaines de milliers de paysans qui n'auront plus de terres et qui grossiront l'armée des chômeurs des villes.

Nous, les paysans, recherchons la fraternité et la collectivisation des terres des haciendas, en supprimant l'exploitation, l'abus et l'injustice sociale de la campagne.

f) Le sinistre statut des communautés établit la dissolution de celles-ci comme si elles étaient de simples associations de personnes, ayant des intérêts personnels à la base de leur adhésion à l'association par opportunité. Les communautés ne sont pas de simples associations qui peuvent se défaire quand elles le veulent ou quand un petit chef imbécile le décide. La communauté, c'est l'essence vitale, la racine de la vie sociale et humaine du paysan qui naît et vit sur une étendue déterminée du pays, laquelle est la vie même du paysan, qui vit et s'alimente de son produit ; chacun naît avec le droit à la vie, à la santé, à la terre ; enfin, la racine de la vie est inscrite dans les plus profondes entrailles de la Terre-mère. A un point tel que personne ni aucun mensonge politique n'a le droit d'obliger les habitants à nier l'existence de leur communauté, ce qui reviendrait à leur refuser la vie. De la même façon, personne n'a le droit de les obliger à remettre leurs terres aux coopératives afin de les convertir ensuite en simples travailleurs agricoles sur ces mêmes terres. Le statut interdit également aux paysans de sortir des limites de leurs communautés afin de chercher du travail en dehors de celles-ci, leur retirant ainsi le droit de revenir dans leur village. Bien sûr, les communautés doivent rejeter ce statut, parce qu'il est contraire à leur organisation, à leur existence, à leurs normes communautaires, à leur système de travail collectif. Elles ne doivent jamais accepter la formation de coopératives, ni leur livrer leurs terres. Les communautés paysannes doivent plutôt former leurs propres coopératives de façon qu'elles soient au service de leurs propres intérêts et non à ceux d'un quelconque *puka kunka* (bourgeois de la ville) et être administrées par les paysans eux-mêmes.

L'authentique réforme agraire consiste en ce que les paysans assument la possession de la terre sur laquelle ils ont vécu depuis des générations, sans aucune obligation de la payer, et parce que ce sont eux qui la travaillent. Ce qui est établi dans la loi 17716 signifie l'achat-vente des terres, pour obliger le paysan à payer en vingt ans au minimum d'annuités le prix de la terre, prix auquel s'ajoute celui des intérêts, lui faisant contracter une dette qu'il n'a jamais contractée.

Quand le paysan meurt, ses enfants doivent continuer à payer sa dette, et, s'ils ne peuvent le faire, ils seront expulsés par la force et la violence ; de telle sorte que le paysan se transformera en simple employé du contremaître et sera contraint à payer par l'État, et finalement soumis aux caprices et fluctuations de l'économie nationale. Sans indépendance économique, il n'y a pas de libération nationale du paysan, il n'y a pas de justice agraire pour le travailleur des champs, sans confiscation de la terre, il n'y a pas de Réforme agraire. »

La déclaration de Ollantaytambo

Du 28 février au 2 mars 1980, la première rencontre des Indiens d'Amérique du Sud s'est tenue dans la ville de Cuzco et à Ollantaytambo (Vallée sacrée des Incas). Le plus important de cette rencontre est que les représentants de tous les *ayllu* de la Vallée sacrée des Incas réalisèrent leur propre rencontre, avec pour résultat les principaux accords qui furent pris dans les conseils ouverts indigènes et non dans l'assemblée des délégués participant à la rencontre.

Deux des principaux accords issus de ces journées furent, premièrement, la déclaration de Ollantaytambo (ci-dessous) adressée à tous les peuples du monde, et, deuxièmement, la création de l'université indienne pour tous les peuples du monde. Dans la déclaration de Ollantaytambo se trouve contenue, selon la déclaration de ses dirigeants, « l'essence de la position indienne face aux problèmes fondamentaux de l'humanité d'aujourd'hui », tandis que l'université indienne se propose comme objectif de « rendre viable l'arrivée d'une société tournée vers l'éducation ».

Déclaration de Ollantaytambo
a tous les peuples du monde

Les *varayoq* (autorités traditionnelles[1]) et autres représentants des communautés indiennes de la Vallée sacrée des Incas, le Mouvement indien péruvien conjointement avec la délégation du Pérou à la Rencontre des Mouvements indiens de toutes les régions du globe, réunis à Ollantaytambo, capitale mondiale de l'indianité de droit, nous nous adressons aux peuples du monde (affligés des maux propres à la civilisation occidentale qui, après plusieurs siècles de pouvoir, a épuisé toutes ses possibilités sans pouvoir atteindre une société internationale harmonieuse et juste) à travers cette déclaration conduisant à proposer les grandes lignes de ce que nous considérons comme étant l'unique alternative face à la crise mondiale, à l'incertitude et au manque de perspectives qui caractérisent l'époque dans laquelle nous vivons.

Les antécédents

En faisant son apparition sur la terre, l'humanité a créé plusieurs civilisations, parmi lesquelles cinq se sont distinguées en tant que grands centres de diffusion culturelle. On trouve parmi celles-ci les civilisations andine-amazonique et mexicaine. Presque toutes ces civilisations se sont développées en perfectionnant le collectivisme primitif, qui est la forme originelle et naturelle de la vie en communauté.

Mais, de toutes ces civilisations, celle connue sous le nom d'« occidentale », par son orientation vers des formes caractérisées d'expression individualiste, est à l'origine de l'esclavage, forme dénaturée de la vie sociale commune. L'ordre naturel du développement humain fut ainsi rompu. La civilisation occidentale a engendré ensuite le féodalisme, comme le capitalisme, et aussi le socialisme de type étatique.

Ces diverses formes sociales déformantes non seulement ont donné lieu à l'exploitation de peuples entiers au bénéfice d'un groupe au pouvoir, mais elles ont permis la mondialisation violente des formes et modes occidentaux de vie et d'exploitation, avec pour conséquence le préjudice des peuples du monde, de ceux à qui on imposa la vassalisation, l'ignominie et le colonialisme. Il faut signaler que la civilisation occidentale ne s'est pas imposée aux autres civilisations parce qu'elle leur était

1. Les notes sont de nous-même.

supérieure, mais par l'effet de sa terrible agressivité. C'est pour cette raison que des peuples énormément plus développés que les Occidentaux tombèrent sous leur férule ; c'est le cas de la société inca et de beaucoup d'autres civilisations qui sont devenues des colonies, des semi-colonies et des zones marginales.

La situation actuelle

La civilisation occidentale dans la dernière étape de son expansion a donné lieu au capitalisme impérialiste qui, actuellement, s'exprime dans les grandes corporations multinationales.

Depuis 1971, le capitalisme impérialiste multinational est en crise à cause de l'actuel système monétaire qui consent des privilèges sans précédent aux grandes puissances capitalistes.

Cette même civilisation a donné lieu à des formes de socialisme étatique qui, pour des raisons tenant à leur origine, témoignent des mêmes maux. Cette crise s'est considérablement aggravée par la disparition prochaine du pétrole, ressource précieuse, incroyablement gaspillée par le système dominant.

Mais la civilisation occidentale n'a pas seulement engendré des sociétés déshumanisées et contraires aux lois naturelles, elle a aussi détruit une grande partie de la planète sur laquelle nous vivons en empoisonnant le milieu ambiant, les fleuves et les mers, en détruisant les bois, en raréfiant les ressources naturelles dont l'humanité a besoin pour survivre.

Nous nous voyons donc menacés non seulement parce que notre milieu ambiant physique a été détruit par la barbare civilisation occidentale, mais aussi parce que le monde se trouve au bord de la totale destruction qui pourrait survenir avec une guerre nucléaire.

Vers une société de ayllu *et de communautés*

Parvenus au point où nous en sommes, écrasés par une crise générale de longue durée, dans un milieu physique qui se détériore à une rapidité inusitée, menacés par les guerres qui bientôt pourraient devenir destructrices de notre planète, nous, les signataires ci-dessous nommés, réclamons que l'humanité tout entière retourne à ses voies naturelles de développement, qui sont la vie en communautés fraternelles, ou *ayllu*, dans lesquelles on utiliserait des technologies très avancées, non dévastatrices du milieu physique mais au contraire qui le protégeraient, le reconstitueraient et le feraient fructifier.

Toutes les sociétés indiennes de la terre ont démontré par leur propre expérience que les formes communautaires de vie permettent un développement harmonieux de la personne humaine, à la différence du système occidental qui la déforme, la dénature au point de créer de véritables monstres solitaires et agressifs.

En ce sens, il est utile de rappeler que nos ancêtres, qui vécurent dans cette merveilleuse Vallée sacrée des Incas, furent ceux qui créèrent une des civilisations indiennes les plus perfectionnées que connaît l'histoire de l'humanité : le *Tahuantinsuyu.*

En vertu de cela, nous sommes obligés de recommencer cette formidable expérience en reconstruisant les bases fondamentales de l'Empire inca, en l'offrant de la sorte fraternellement à l'humanité comme la meilleure alternative, convaincus que par la seule diffusion universelle des *ayllu* de terres communes et des communautés fraternelles, le genre humain cessera de vivre tenaillé par la peur de la guerre et de la destruction.

Dans les nouvelles conditions que nous proposons, l'humanité se sera libérée elle-même d'une hécatombe écologique et de la crise destructrice qui périodiquement ébranlent les bases des sociétés créées par l'Occident.

Appel à la concorde, à la paix, au progrès

Aussi longtemps que la communauté fraternelle, ou *l'ayllu*, ne régira pas le monde en tant que forme sociale de base, les autorités indiennes de la Vallée sacrée des Incas et le Mouvement indien péruvien, conjointement aux autres délégués du Pérou à la Rencontre indienne, nous appellerons tous les peuples de la terre à lutter pour la paix et contre toute forme d'exploitation, de colonialisme et de domination.

Nous offrons également notre médiation dans les conflits qui peuvent se présenter sur le plan international parce que aucun compromis ne nous lie, de près ou de loin, aux puissances qui se disputent la domination du monde.

Le droit des peuples et la lutte contre toute forme de génocide et d'ethnocide

Nous faisons également savoir au monde notre détermination à lutter pour le respect absolu et sans restriction de la Déclaration universelle des droits des peuples signée à Alger en 1976. Le respect de ses principes ne peut être séparé du respect des Droits de l'homme pour lesquels nous lutterons avec la même vigueur.

De la même façon, nous avertissons tous les gouvernements

d'inspiration occidentale que nous combattrons sans défaillance toutes les formes cachées ou non de génocide. Parce que le génocide appliqué systématiquement contre les peuples indiens du monde a donné lieu à l'extermination de populations entières, sacrifiées sur l'autel de la voracité occidentale. Cela doit être freiné avec la plus grande énergie pour qu'aucun Indien ne meure jamais plus à cause de la discrimination, de l'intolérance ou du racisme.

Finalement, nous rendons publique notre décision de lutter contre l'ethnocide qui se commet impunément au préjudice de la culture des peuples indiens du monde. Cela signifie que nous nous efforcerons de maintenir, racheter et faire fructifier nos expressions culturelles et sociales. Cela signifie aussi que nous soutiendrons tout engagement de la part des autres peuples du monde qui se proposeront de préserver, fortifier et perfectionner leurs propres créations culturelles et sociales.

A Ollantaytambo, capitale mondiale de l'indianité, le 2 mars 1980.

JOSÉ DARIO OCHOA VARELA
Hatun varayoq[1] de
Ollantaytambo

VIRGILIO ROEL PINEDA
Coordinateur général
alternatif
du Mouvement Indien
péruvien

Hatun varayoq
conseiller du district de Machupichu
conseiller du district de Ollantaytambo
conseiller de la province de Urubamba
conseiller du district de Yucay
conseiller du district de Huayllabamba
conseiller du district de Lamay
conseiller de la province de Calca
conseiller du district de Coya
conseiller du district de Písac
conseiller du district de Taray
Mouvement indien péruvien et autres délégués péruviens.

1. *Hatun varayoq* : autorité traditionnelle principale.

Comme remarque finale, et en présentant certains documents qui émanent du milieu indigène andin, on peut dire que, dans le processus d'« acculturation » dans la zone andine, on a assisté à l'imposition par la force ou par des moyens pacifiques (ces derniers nommés « développement économique, social et culturel ») des valeurs culturelles occidentales ou créoles sans respecter et encore moins tenir compte des valeurs culturelles indigènes.

Si l'acculturation, rencontre et interpénétration de civilisations est un ensemble de phénomènes issus du contact continu de groupes d'individus de cultures différentes et qui ont pour conséquence les changements dans les modèles culturels de l'un ou des deux groupes, nous verrons que, dans la région andine, le contact entre les individus de cultures différentes s'est concrétisé en génocide d'un grand nombre de groupes ethniques, qui ont été en un premier temps exploités et suppliciés lentement. La culture occidentale a agi et agit dans un seul sens, et comme force destructrice de l'autre culture, c'est-à-dire comme phénomène ethnocidaire ; mais l'ethnocide n'est pas terminé puisque l'*assimilation* (à notre civilisation) et l'*intégration* (à notre culture) ne sont pas réalisées.

L'assimilation est l'intériorisation de la part de l'indigène de la culture du groupe dominant ; mais il n'est pas suffisant que l'individu « intériorise » la culture du groupe dominant, il est nécessaire que l'Indien trouve dans la société nouvelle qui est appelée à exister la liberté de se mouvoir, c'est-à-dire qu'il n'y ait pas contre lui discrimination ou ségrégation. L'histoire de l'Indien a été histoire de discriminations, ségrégations et arrachements. Pour que l'homme s'acculture à la société dominante, il est nécessaire que la vision du monde de l'Indien change totalement et intériorise le modèle culturel imposé. Nous pouvons affirmer que la cosmovision de l'Indien, c'est-à-dire sa conception du temps et de l'espace, n'a pas changé, ni encore moins intériorisé notre culture.

Nous ne pouvons pas non plus nier que les Indiens ou les communautés n'aient pas adopté certains éléments de la culture occidentale, comme la religion catholique, qui a été superposée et réinterprétée en fonction de la religion traditionnelle.

Nous ne pouvons pas plus nier que le phénomène de ce type d'acculturation a créé des phénomènes de « cholification » ou « ladinisation » et d'ambivalence culturelle. Le *cholo*, théoriquement possesseur de deux cultures, ne pourra appartenir à aucune d'entre elles ; il sera l'objet de discrimination et de ségrégation dans la culture occidentale et deviendra un marginal de la culture indigène par la position qu'il adopte. Le *cholo* deviendra dans de nombreux cas le meilleur exploiteur de ses frères de sang. L'ambivalence culturelle se manifeste dans le fait que l'indigène, en tant qu'individu ou en communauté, aura deux personnalités, l'une occidentale et l'autre indigène, selon ses interlocuteurs. Une des valeurs culturelles occidentales imposées à la culture indigène est le concept du « moi », c'est-à-dire la propriété privée et l'exploitation de l'homme par l'homme, dans une société où la valeur du « nous », c'est-à-dire la propriété collective et l'organisation communautaire, est assimilée au sacré.

L'attachement à la communauté et à l'intégrité de l'*ayllu* est une manière de rejeter le concept du « moi », et je dirai que c'est presque un mouvement messianique, c'est-à-dire un phénomène de contre-acculturation.

Cet attachement profond à la conception du « nous », c'est-à-dire à l'organisation économique, sociale et politique de l'*ayllu*, ne se fait pas de manière mesquine. Les indigènes, convaincus de son efficacité et ayant conscience de la pluralité économique actuelle du pays, recommandent au congrès de Fajardo que les communautés soient « l'axe central de la Réforme agraire » et que les paysans soient propriétaires « prioritairement des possessions communautaires ». Selon Llamohja, « la création de propriétés individuelles poursuit la création de l'individualisme, de la haine et de l'égoïsme, crée l'esprit bourgeois et la mentalité de l'exploitation ».

D'ailleurs, les communautés indigènes ne s'opposent pas à la modernisation, ni aux avantages de la civilisation occidentale, à condition que soient respectées leurs valeurs culturelles, normes d'existence et autorités propres. Ainsi, au congrès de Fajardo, on reconnaît le gouvernement suprême (de « Péruviens-Espagnols ») et on sollicite de lui une aide économique pour résoudre les angoissants problèmes actuels.

On doit abandonner toute espèce de politique paternaliste qui considère les communautés indigènes comme des « réductions » de type colonial, ou « associations » ou « coopératives » de type occidental, ou qui considère les Indiens comme des enfants, objets d'exploitation, de folklore, d'instruments pour se servir de leur cause et de leurs personnes à certaines fins électorales ou doctrinaires.

Les intéressés, qui ont conscience de leur passé et présent historiques, essaient de résoudre leurs problèmes en se posant constamment des questions, comme lors du congrès de Fajardo

Bibliographie

Les ouvrages concernant l'histoire des Incas et leur civilisation s'échelonnent sur près de quatre siècles. Avec les progrès de l'ethnologie et de l'archéologie, leur nombre ne cesse de croître. La partie la plus importante de cette abondante littérature est représentée par les chroniques espagnoles du XVIe et du XVIIe siècle. Ces textes furent longtemps inaccessibles au grand public. Mais, depuis que la *Biblioteca de autores espanoles* (BAE) de Madrid a décidé, en 1954, de rééditer, à des prix accessibles, de nombreux ouvrages épuisés depuis plusieurs décennies, l'accès aux chroniques classiques est beaucoup plus aisé.

Aucune monographie moderne ne saurait dispenser le lecteur curieux de la civilisation inca de lire les *Commentaires royaux de l'Inca Garcilaso de la Vega*. S'il est vrai que cette chronique, écrite au début du XVIIe siècle par le fils d'un conquistador et d'une princesse inca à la gloire de ses ancêtres maternels, ne jouit plus aujourd'hui d'un crédit aussi total que par le passé, elle reste cependant inégalée par le charme du style et la richesse de l'information. Le chef-d'œuvre de Garcilaso de la Vega a connu plusieurs éditions françaises au XVIIe et au XVIIIe siècle. Une traduction modernisée, mais malheureusement très abrégée, en a paru au Club des Libraires, en 1960. On ne saurait trop regretter que les récits des conquérants, Miguel de Estete, Francisco de Jerez, Pedro Sancho de la Hoz, Pedro Pizarro, qui ont vu l'Empire dans toute sa splendeur, ne puissent être lus dans des traductions françaises qui conserveraient l'âpre saveur de ces témoignages de la première heure. Des scènes de la vie inca ont été fidèlement retracées avec une honnête naïveté par un Indien, Felipe Huamàn Poma de Ayala. Son manuscrit, découvert au début du siècle, a été reproduit en facsimilé par les soins de l'Institut d'ethnologie de Paris, *Nueva Corónica y Buen Gobierno, codex péruvien illustré*, coll. « Travaux et mémoires », Paris, 1936, t. XXIII.

Parmi les meilleures études d'ensemble sur les Incas, on peut citer l'article de John H. Rowe, « Inca Culture », paru dans le *Handbook of South American Indians*, Washington, Smitheonian Institution, Bureau of American Ethnology, 1946, t. II, p. 183-184, qui contient entre autres une excellente quoique déjà ancienne bibliographie ; l'ouvrage de Luis G. Lumbreras, *De los pueblos, las culturas y las artes del antiguo Péru*, Lima, Moncloa-Campodonica, 1969 (dont il existe également une édition en anglais parue aux États-Unis en 1979) ; enfin, la *Historia del Perú*, Lima, Mejia Baca, 1980, 12 vol., dont les chapitres concernant les Incas sont dus à A. Ortiz, A. L. Valcarcel, J. Ossio et F. Pease.

Les institutions politiques et judiciaires des Incas ont été traitées en détail par Sally Falk Moore : *Power and Property in Inca Peru*, New York, Columbia University Press, 1958.

Les ouvrages en français sur les Incas sont rares. Parmi les plus importants, il faut citer *l'Empire socialiste des Incas*, de Louis Baudin, Institut d'ethnologie de Paris, coll. « Travaux et mémoires », 1928, t. V, bien que cet ouvrage, déjà fort ancien, présente une interprétation de la société et du système économique incas aujourd'hui dépassée. Le petit volume de Henri Favre, *les Incas*, paru dans la collection « Que sais-je? », Paris, PUF, 1972, constitue un excellent résumé des connaissances. Sur la lutte contre les religions autochtones dans le Pérou colonial : *l'Extirpation de l'idolâtrie entre 1532 et 1660* de Pierre Duviols, Lima-Paris, 1971, et *la Vision des vaincus* (les Indiens du Pérou devant la conquête espagnole) de Nathan Wachtel, Paris, Gallimard, « Bibliothèque des histoires », 1971.

Sur les civilisations antérieures à celle des Incas, on consultera avec profit l'ouvrage de L. Lumbreras déjà cité, *De los pueblos...*; également, de E.P. Lanning, *Peru before the Incas*, Prentice Hall, Englewood Cliffs, New Jersey, 1967 ; G. Willey, *Introduction to American Archaeology, vol. 2 : South America*, Prentice Hall, Englewood Cliffs, New Jersey, 1972.

Sur l'organisation sociale et économique, les meilleurs ouvrages sont actuellement : John V. Murra, *la Organización económica del Estado inca*, Mexico, Siglo XX, 1978, et *Formaciones económicas y políticas del mundo andino*, Lima, Instituto de estudios peruanos, 1975, où se trouvent rassemblés les articles les plus importants de cet auteur, originalement dispersés dans plusieurs revues de langue anglaise ; de R.T. Zuidema, *The Ceque System in the Social Organization of Cuzco*, Leyde, 1962.

Pour connaître l'histoire de la conquête du Pérou, on utilisera l'œuvre magistrale de William Prescott, *History of the Conquest of Peru*, Londres, 1847, dont une traduction française a paru en 1863, bien que l'introduction sur la civilisation des Incas soit forcément périmée à bien des égards ; et la thèse d'Albert Garcia, *la Découverte et la Conquête du Pérou*, université de Lille-III, 1976.

Pour l'histoire des Incas sous la domination espagnole, on renverra le lecteur à la remarquable étude de G. Kubler, « The quechua in the colonial world », *Handbook of South American Indians, op. cit.*, p. 331-410, à un long article de John H. Rowe, paru dans la *Hispanic American Historical Review*, t. XXXVII, n° 2, mai 1957, sous le titre « The Incas under spanish colonial institutions », et aux ouvrages de Ruben Vargas Ugarte sur le vice-royaume, particulièrement *Historia general del Perú*, Lima, Milla Batres, 1971, 10 vol.

Sur l'époque républicaine, les travaux de Jorge Basadre et surtout *la Historia de la República del Perú* 1822-1933, Lima, Éd. Universitaria, 1970, 17 vol., et l'ensemble des études de Pablo Macera, spécialement *Trabajos de historia*, Lima, Institudo nacional de cultura, 1977.

L'Institut d'études péruviennes de Lima, sous la direction de José Matos Mar, publie diverses collections dans lesquelles figurent des travaux récents ou des compilations de divers travaux antérieurs sur le passé ou le présent du monde andin : Karen Spaldin, *De Indio a campesino*, 1974 ; Maria Rostworwski de Diez Canseco, *Etnía y sociedad*, 1977, *Señorios indígenas de Lima y Canta*, 1978 ; Franklin Pease G.Y., *Del Tawantinsuyu a la historia del Perú*, 1978 ; Nicolas Sanchez Albornoz, *Indios y tributarios en el Alto Perú*, 1978 ; dans la collection « Fuentes y investigaciones para la historia del Perú » : Rogger Ravines, compilateur, *Ciento Años de arqueología en el Perú*, 1970,

Tecnologia andina, 1978 ; Francisco de Avila — 1598 (?) —, *Dioses y hombres de Huarochiri*, édition bilingue, traduction espagnole de José María Arguedas ; étude bibliographique de Pierre Duviols, 1966 ; Piedro Cieza de León — 1550 —, *el Señorio de los Incas*, introduction de Carlos Aranibar, 1967.

Parmi les travaux sur la société rurale, José Matos Mar et autres, *Dominación y cambios en el Perú rural* ; Gabriel Escobar, *Sicaya, communidad mestiza andina*, 1973 ; Manuel Burga, *De la encomienda a la hacienda capitalista*, 1976 ; Jorge Flores Ochoa et autres, *Pastores de Puna*, 1977.

Dans la collection « Perú problemas », Robert G. Keith et autres, *la Hacienda, la Communidad y el Campesino*, 1970 ; Alberto Escobar et autres, *el Reto del multilinguismo en el Perú*, 1971 ; G. Alberti et Henrique Mayer, compilateurs, *Reciprocidad e intercambio en el mundo andino de hoy*, 1974 ; José Matos, *Yanaconaje y reforma agraria*, 1976.

Dans la série des études historiques, John Fisher, *Minas y mineros en el Perú colonial, 1776-1824*, 1977 ; Jürgen Golte, *Repartos y rebellones*, 1980.

De nombreux articles sur la civilisation andine sont disséminés dans les publications sur les institutions nationales des Républiques andines, telles que la *Revista del museo nacional*, *Historia y cultura*, et les nombreuses publications de l'Institut national de culture du Pérou ; les *Cuadernos de Historia y arqueologia de Guayaquil* et « *Pumapunku* » *de La Paz*, et dans les publications internationales comme le *Journal de la Société des américanistes de Paris*, et les mémoires et actes des congrès internationaux des américanistes.

Enfin, des aspects particuliers ont été traités par Ann Kendall, *Everyday Life of the Incas*, Londres, Batsford Ltd., 1973 ; G. Gasparini et L. Margolies, *Arquitectura Inka*, Caracas, C.I.H.E., Université centrale du Venezuela, 1977 ; M. et Mme R. d'Harcourt, *la Musique des Incas et ses survivances*, Paris, 1925, et *Textiles anciens du Pérou et leurs techniques*, Paris, 1924, qui restent malgré leur ancienneté des ouvrages classiques.

Chronologie

d'env. 15000 à 5000 av. J.-C.

Période lithique [1]

— Premiers campements de chasseurs dans les Andes centrales, en partie contemporains d'espèces animales disparues. Sites de Pikimachay, Jaywamachay (bassin d'Ayacucho) entre 15000 et 8000 av. J.-C.

— Campements de chasseurs-collecteurs dans toute la région andine à partir de 7000 env. av. J.-C. Sites de Guitarrero, Lauricocha, Pachamachay, Toquepala.

— Le long de la côte, campements de chasseurs à partir de 6000 av. J.-C.

— A la fin de la période apparaissent en diverses régions les premières domestications d'espèces animales et végétales.

de 5000 à 1800 av. J.-C.

Période archaïque

— Dans les Andes, campements de chasseurs, puis de pasteurs de camélidés (site de Telarmachay).

— Sur la côte, premiers villages sédentaires de pêcheurs-collecteurs et horticulteurs. Sites de Paloma, Chilca, Cabezas Largas.

— Vers 3000 av. J.-C. : début de la domestication du maïs, d'abord dans les Andes, puis sur la côte (vers 2000 av. J.-C.).

— Vers 2500 av. J.-C. : apparition de la culture du coton. Premiers textiles entrelacés (sans métier à tisser). Sites côtiers de Huaca Prieta, Las Aldas, Asia ; site andin de Kotosh-Mito. Premières grandes constructions cérémonielles.

— 1860/1800 av. J.-C. : apparition de la poterie, accompagnée par de nouvelles plantes cultivées d'origine probablement amazonienne.

de 1800 à 500 av. J.-C.

Période formative

— De 1800 à 1200 av. J.-C. : formatif inférieur. Villages d'agriculteurs et petits centres cérémoniels. Premiers objets de métal (en or natif martelé).

— De 1200 à 500 av. J.-C. : formatif supérieur.

1. La terminologie employée ici est celle adoptée par le Colloque international d'archéologie andine réuni à Paracas (Pérou) sous l'égide de l'UNESCO/PNUD.

	Développement et diffusion de la culture chavín. Apparition du processus d'urbanisation. Maîtrise des techniques agricoles. Sites andins de Chavín de Huantar, Pacopampa, Kotosh ; sites côtiers de Cupisnique, Paracas.
de 500 av. à 700 apr. J.-C.	*Période de développement régional* Elle correspond à une étape de développement urbain, dans le cadre de petites seigneuries ou royaumes régionaux, dont les principaux sont : Mochica sur la côte nord, Lima sur la côte centrale, Nazca sur la côte sud, Pucara dans les Andes du Sud, Tiahuanaco dans la région du lac Titicaca (actuelle Bolivie).
de 500 à 1000	*Empire Wari* Expansion d'un pouvoir politique et culturel unificateur à partir de la grande cité de Wari (bassin d'Ayacucho). Cette influence s'étend à la majeure partie du pays puis s'estompe progressivement (déclin de la cité de Wari) à partir de 800. Sites andins de Wari, Pikillaqta ; sites côtiers de Cajamarquilla, Pachacàmac.
de 1000 à 1450	*Période des États régionaux* Elle est caractérisée par une renaissance du régionalisme et par la formation d'états locaux organisés autour de grands centres urbains. Sites côtiers : Chanchán, Pachacámac, Chincha. La fin de cette période correspond au début des grandes conquêtes incas.
Vers 1200	Début de l'État inca.
De 1200 à 1438	Règne des Incas semi-légendaires : Manco-Capac, Sinchi-Roca, Lloque-Yupanqui, Mayta-Capac, Capac-Yupanqui, Inca-Roca, Yahuar-Huaca, Viracocha-Inca.
1438-71	Règne de Pachacuti-Inca Yupanqui.
1471-93	Règne de Topa-Inca Yupanqui.
1492	Découverte de l'Amérique par Christophe Colomb.
1493-1527 (?)	Règne de Huayna-Capac.
1513	Vasco Nuñez de Balboa découvre le Pacifique.
1522	Andagoya entreprend le premier voyage de découverte au sud de Panama.
1526	Francisco Pizarro, Diego de Almagro et Hernando de Luque s'associent pour aller à la découverte du Pérou.

1527	Pizarro débarque à Tumbez et découvre l'Empire inca.
1528-1532	Guerre civile entre l'Inca Huascar et son demi-frère Atahuallpa.
1531-1532	Troisième expédition de Pizarro et occupation de Tumbez.
juin 1532	Pizarro fonde la première ville espagnole au Pérou, San Miguel (aujourd'hui Piura.)
16 nov. 1532	Guet-apens de Cajamarca et capture de l'Inca Atahuallpa.
1533	Assassinat de Huascar sur les ordres d'Atahuallpa.
29 août 1533	Exécution d'Atahuallpa après payement de sa rançon.
15 nov. 1533	Entrée des Espagnols au Cuzco.
1536	Soulèvement de Manco-Capac II et siège du Cuzco.
1537	Manco-Capac se réfugie dans les montagnes de Vilcabamba et y fonde un nouvel État inca.
1545	Manco-Capac est assassiné par des Espagnols.
1545-60	Règne de son fils Sayri-Tupac qui, en 1555, offre sa soumission.
1560-71(?)	Mouvement de résistance indienne : Taki Onqo ou Ayara. Règne de Titu-Cusi à Vilcabamba.
1572	Conquête du royaume inca de Vilacamba et capture de l'Inca Tupac-Amaru, exécuté la même année.
1572	Entrée en vigueur des ordonnances du vice-roi Francisco de Toledo qui donnent au Pérou une nouvelle structure sociale et politique.
1610	Première édition des *Commentaires royaux* de l'Inca Garcilaso de la Vega.
1742	Révolte de Santos Atahuallpa.
1780-81	Révolte de José-Gabriel Tupac-Amaru II.
1781	Siège de La Paz par Julien Apasa.
1781	Second siège de La Paz par Andrès Tupac-Amaru.
1815	Nouvelle révolte des Indiens.
1816	Le général Belgrano, au congrès de Tucuman, recommande la restauration de l'Empire inca.
1821	Le général San Martin supprime le tribut des Indiens et leur accorde la citoyenneté péruvienne.

1824 Bolivar supprime la propriété communale, portant ainsi atteinte à l'existence des communautés indigènes.

1824 Bataille d'Ayacucho, qui assure l'indépendance du Pérou. Le tribut sur les Indiens est rétabli au Pérou sous le nom de *contribución de indigenas*.

1854 Le président du Pérou Castilla abolit le tribut des Indiens.

1867 Le général Melgarejo dépossède les Indiens de leurs terres communales au profit des haciendas.

1881 Suppression du tribut des Indiens en Bolivie.

1919 La Constitution du Pérou accorde la personnalité juridique aux communautés indiennes.

1952 Révolution démocratique en Bolivie.

1953 Paz Estensoro, président de la Bolivie, décrète la Réforme agraire dont les Indiens seront les principaux bénéficiaires.

1964 Début du mouvement indianiste au Pérou.

1968 Le général Juan Velasco Alvarado, le dictateur militaire du Pérou, décrète la Réforme agraire et crée des coopératives dans les *latifundias* de la côte.

1975 Le président Valesco Alvarado rend officielle, par décret, la langue quechua au Pérou et, en 1979, la charte constitutionnelle annule ce décret.

1980 Première rencontre des Indiens d'Amérique du Sud à Cuzco.

Illustrations

Guillen 24, 29, 33, 68, 70, 89, 154. — Pierre Verger 80, 129, 162, 168, 169. — Archives A. Métraux 13, 17, 21, 95, 139, 143, 145, 147, 152, 153, 164. — Photos A. Métraux 64. — Musée archéologique de l'université de Trujillo, Pérou 26. — Musée d'ethnographie de Göteborg, Suède 114. — Musée d'ethnographie de Berlin 126, 192. — Staatl Museum für Völkerkunde de Munich 3, 31, 66, 106, 133. — BN/Seuil 7, 11, 40. — Institut d'ethnographie de Genève 127. — Musée de l'Homme, Paris 52, 65, 67, 79, 107. — Archives Henry Reichlen 16, 41, 50, 57, 58, 62, 71, 84, 116, 117, 123.

Table

IMPRIMERIE HÉRISSEY À ÉVREUX (10-87)
D.L. MAI 1983. N° 6473-2 (43629)